Ken Bruen

Terreur in Galway

Een Jack Taylor thriller

Met dank aan Vinny Brown, Charley Byrne's Bookstore, Phyl Kennedy en Noel McGee.

CIP GEGEVENS KONINKLIJKE BIBLIOTHEEK, 's-GRAVENHAGE
C.I.P. KONINKLIJKE BIBLIOTHEEK ALBERT 1

Bruen, Ken

Terreur in Galway / Ken Bruen – [vertaald uit het Engels door Willem Verhulst]. – Antwerpen, BMP, 2004
Oorspronkelijke titel: The Guards
ISBN 90 5720 186 0
Doelgroep: roman, thriller
NUR: 332

D/2004/1676/4

Book & Media Publishing - Lakborslei 114 - 2100 België
Tel: 03 360 78 00

Het is bijna onmogelijk om bij de politie ontslagen te worden. Daar moet je echt je best voor doen. Zolang je je maar niet publiekelijk te schande maakt, maakt het niet uit wat je doet. Ze vinden het allemaal best.

Het was me een paar keer bijna gelukt. Talloze

Berispingen
Waarschuwingen
Laatste kansen
Keren dat het door de vingers werd gezien.

En nog steeds lukte het me niet om in het gareel te blijven.

Of, liever gezegd, om nuchter te blijven. Begrijp me niet verkeerd. Er bestaat een lange, haast intieme relatie tussen drank en de gardaí. Een agent die aan geheelonthouding doet, wordt – zowel binnen het korps als daarbuiten – met argwaan, zo niet met minachting, bekeken.

Tijdens mijn opleiding zei een van de instructeurs,

'We lusten er allemaal wel een.'

Er werd instemmend geknikt en gemompeld.

'De burger verwacht van ons niet anders.'

Het begon steeds beter te klinken.

'De burger houdt niet van een stille.'

Hij zweeg even om de dubbelzinnigheid te laten inwerken – een 'stille' kon een stille agent zijn, maar ook een stille drinker. Of allebei.

Tien jaar later had ik mijn derde waarschuwing te pakken. Tijdens een gesprek met een van de leidinggevenden kwam het onderwerp 'hulp' ter sprake.

'We leven nu in een heel andere tijd, jongen. Tegenwoordig heb je ontwenningskuren, twaalf-stappenplannen, hulpprogramma's, noem maar op. Het is geen schande meer als je een tijdje in een kliniek zit. Moet je eens opletten wat voor bekende Ieren je daar tegenkomt, van pastoors tot politici.'

Ik wou zeggen,

'Alsof dat een aanbeveling is!'

Maar ik ging toch. Toen ik uit de kliniek kwam, stond ik een tijdje droog, maar na verloop van tijd begon ik weer te drinken.

Het gebeurt niet vaak dat een garda in zijn eigen woonplaats gaat werken, maar in mijn geval werd dat als gunstig beschouwd.

Een opdracht, op een vreselijk koude februariavond. Klotedonker. Snelheidscontrole in een buitenwijk. De brigadier had gezegd,

'Ik wil resultaten zien. Er worden geen uitzonderingen gemaakt.'

Mijn maat was iemand uit Roscommon die Clancy heette. Hij deed niet moeilijk en deed net of hij niet in de gaten had dat ik dronk. Ik had een thermoskan met verdunde koffie bij me. Verdund met cognac, wel te verstaan. Het gleed vlot naar binnen.

Té vlot, eigenlijk.

We hadden het niet druk. De meeste chauffeurs waren getipt. Ze bleven verdacht nauwkeurig net onder de maximumsnelheid. Clancy zuchtte en zei,

'Ze hebben ons in de gaten.'

'Zeker weten.'

Op dat moment raasde er een Mercedes langs. De meter sloeg zowat op tilt. Clancy riep,

'Jezuschristus!'

Ik schakelde in en we gingen hem achterna. Naast me hoorde ik Clancy zeggen,

'Jack, doe maar kalm aan. Laat eigenlijk maar zitten.'

'Hè?'

'Het nummerbord... Heb je dat gezien?'

'Ja, nou en?'

'Overheid.'

'Schandalig.'

Ik had de sirene aangezet, maar het duurde toch nog tien minuten voordat de Mercedes stopte. Toen ik het portier opendeed, pakte Clancy me bij mijn arm en zei,

'Hou je een beetje in, Jack.'

'Ja ja.'

Ik tikte op het raampje van de chauffeur. Het duurde even voor hij het omlaag draaide. Hij zei, met een vette grijns op zijn gezicht,

'Waar is de brand?'

'Uitstappen.'

Voordat de chauffeur kon reageren, boog iemand zich op de achterbank naar voren en zei,

'Wat is het probleem?'

Ik herkende de man. Een bekend parlementslid. Ik zei,

'Uw chauffeur reed als een waanzinnige.'

Hij vroeg,

'Weet je wel tegen wie je het hebt?'

'Jawel, tegen de hufter die de gezondheidszorg naar de kloten probeert te helpen.'

Clancy probeerde tussenbeide te komen en fluisterde,

'Jezus, Jack, kalm aan een beetje.'

Het parlementslid stapte uit en kwam dreigend op me af. De verontwaardiging stond op zijn gezicht te lezen. Hij schreeuwde,

'Brutale aap dat je bent, ik zal zorgen dat je eruit vliegt. Besef je wat dat betekent?'

Ik zei,

'Nee, maar ik weet wel wat er nu gaat gebeuren.'

En gaf hem een keiharde dreun op zijn bek.

IN BURGER

In Ierland bestaan geen privé-detectives. De Ieren moeten niets van ze hebben. Privé-detectives staan voor de Ieren zowat gelijk aan de gehate 'verklikkers'. Het maakt haast niet uit wat je doet, zolang het maar geen 'verklikken' is.

Ik begon een detectivebureau. Niet echt moeilijk, je hebt er alleen veel geduld en vasthoudendheid voor nodig. Dat laatste was een van mijn sterke kanten.

Het was niet zo dat ik op een ochtend wakker werd en riep, 'God wil dat ik detective word!' Het zou Hem een rotzorg zijn.

Je hebt een gewone God en een Ierse God. De Ierse God is een lamlendig type. Niet dat het Hem niet interesseert, maar Hij maakt zich gewoon nergens druk om.

Vanwege mijn vorige werkkring dachten de mensen dat ik over informatie van binnenuit beschikte. Dat ik wist hoe de dingen werkten. Na verloop van tijd begonnen er mensen naar me toe te komen met de vraag of ik ze kon helpen.

Een paar keer lukte het me om problemen op te lossen. Ik begon een klein beetje naam te maken, al was mijn reputatie in feite op niets gebaseerd. Het voornaamste was dat ik goedkoop was.

Grogan is niet de oudste kroeg in Galway. Het is wel de kroeg met het oudste oorspronkelijke interieur.

Terwijl alle andere kroegen constant worden verbouwd en

Uniseks
Gezond eten
Karaoke
Gewoon te gek

zijn geworden, blijven ze hier trouw aan de formule van vijftig jaar geleden. 'Spartaans' is te zwak uitgedrukt. Zaagsel op de vloer, harde stoelen, geen flauwekuldrankjes. Het is hier nog niet doorgedrongen dat het publiek tegenwoordig prijs stelt op

Cocktails
Mixdrankjes
Breezers.

Alles is hier nog even serieus als vroeger. Hier wordt nog serieus gezopen. Geen uitsmijters met walkietalkies bij de deur. Moeilijk te vinden, trouwens. Als je Shop Street in loopt, moet je even voorbij Garavan een zijstraatje inslaan en dan ben je er. Succes verzekerd. Geen last van dat moderne gedoe.

Ik kom er graag, omdat dit de enige kroeg is waar ze me nooit de toegang hebben ontzegd. Nog nooit, nog niet één keer.

De bar is niet versierd, op een oude spiegel na, waar twee gekruiste hurleys voor hangen. Daarboven hangt een soort drieluik met afbeeldingen van een paus, St. Patrick en John F. Kennedy. JFK hangt in het midden.

De Ierse heiligen.

Vroeger hing de paus in het midden, maar na het

Vaticaans Concilie hebben ze hem aan de kant geschoven. Hij hangt nu uiterst links.

Hij mag wel uitkijken dat hij er niet af valt.

Ik weet niet welke paus het is. Ze lijken allemaal op elkaar. Het ziet er niet naar uit dat hij binnen afzienbare tijd weer in het midden komt te hangen.

De eigenaar heet Sean. Sean kan zich nog herinneren dat Cliff Richard jong was. Hij zei,

'Cliff was de Engelse Elvis.'

Een afgrijselijk idee.

Ik hield kantoor bij Grogan. Meestal ging ik er 's morgens heen en wachtte dan tot de wereld zich bij me kwam melden. Sean voorzag me trouw van koffie. Met cognac – 'tegen de kou'.

Er zijn dagen dat hij zo broos is dat ik bang ben dat het hem niet lukt om van achter de bar met de koffie naar mijn tafeltje te lopen.

Het kopje rinkelt op het schoteltje. Sean beeft zo erg dat ik bang ben dat hij me iets vreselijks komt vertellen. Maar als ik tegen hem zou zeggen,

'Waarom neem je geen mokken?'

zou hij vol afschuw reageren met,

'Er zijn bepaalde normen!'

Op een keer, toen hij weer zo bevend met mijn kopje stond te rinkelen, vroeg ik hem,

'Heb je wel eens overwogen om te stoppen met werken?'

'Heb jij wel eens overwogen om te stoppen met drinken?'

Zo kon je het natuurlijk ook bekijken.

Een paar dagen na de Cheltenham zat ik aan mijn stamtafeltje. Ik had een paar pond aan de paarden overgehouden en die had ik er – wonder boven wonder – nog niet doorheen gejaagd. Ik zat *Time Out* te lezen. Ik kocht die Londense evenementengids bijna iedere week. Er stond bijna alles in wat er in de hoofdstad te beleven viel.

Mijn plan.

Ik had wel degelijk een plan. Weinig dingen zijn zo gevaarlijk als een drinker met een plan. Dat van mij zag er zo uit.

Ik zou al m'n poen bij elkaar schrapen, er nog wat bij lenen en naar Londen vertrekken.

Een mooie flat huren in Bayswater en afwachten.

Meer niet. Gewoon afwachten.

Die droom maakte die vreselijke maandagochtenden nog een beetje draagbaar.

Sean kwam aangerinkeld en zette mijn koffie voor me neer. Hij vroeg,

'Weet je al wanneer je weggaat?'

'Binnenkort.'

Hij mompelde iets wat op een heilwens leek.

Ik nam een slok koffie en verbrandde zowat mijn verhemelte.

Zalig.

De naschok van de cognac drong diep in mijn tandvlees. Het was of er een stormram tegen mijn gebit beukte. De laatste ogenblikken voor de ondergang.

Het omsingelde paradijs.

In *Duffy is Dood* schreef J.M. O'Neill dat cognac de luchtwegen vrijmaakt en ze vervolgens afsluit. Je moest trouwens steeds vroeger opstaan om jezelf nuchter te drinken voordat de kroegen opengingen.

Probeer dat maar eens uit te leggen aan iemand die niet aan drank verslaafd is.

Er kwam een vrouw binnen. Ze keek om zich heen en liep richting bar. Ik wou dat ik me beter kon voordoen dan ik was. Ik liet mijn hoofd zakken en probeerde mijn vaardigheden als speurder te testen. Of, liever gezegd, mijn waarnemingsvermogen. Ik had haar maar heel even gezien; wat kon ik me daar nog van herinneren? Een halflange, geelbruine jas, duur model. Donkerblond, halflang haar. Wel make-up, maar geen lippenstift. Diepliggende ogen boven een kleine neus. Wilskrachtige mond. Mooi om te zien, maar ook weer geen schoonheid. Praktische schoenen van goed bruin leer.

Conclusie: niet iemand die ik zou kunnen versieren. Te chic. Ze stond met Sean te praten. Sean wees naar mij. Ze kwam op me af en ik keek op. Ze vroeg,

'Meneer Taylor?'

'Ja.'

'Kan ik even met u praten?'

'Tuurlijk, ga zitten.'

Van dichtbij was ze mooier dan ik gedacht had. Diepe rimpels om haar ogen. Ik schatte haar achter in de dertig. Ik vroeg,

'Kan ik u iets aanbieden?'

'Ik heb net koffie besteld.'

Terwijl we zaten te wachten, nam ze me nauwkeurig op. Niet stiekem of zo, maar gewoon openlijk en zonder te doen alsof. Sean kwam de koffie brengen...

zowaar met een bord vol koekjes erbij. Ik keek hem aan en hij zei,

'Niet mee bemoeien.'

Toen hij weg was, zei ze,

'Wat een schriel mannetje.'

Zonder er bij na te denken, beging ik een vreselijke stommiteit. Ik zei,

'Hij? Hij overleeft ons allebei, let maar op.'

Ze kromp in elkaar alsof ze onder de tafel weg wilde duiken. Ik ging gewoon door,

'Wat wilt u van me?'

Ze herstelde zich en zei,

'U moet me helpen.'

'Hoe?'

'Ik heb gehoord dat u mensen kunt helpen.'

'Als dat in mijn vermogen ligt.'

'Mijn dochter... Sarah... heeft... heeft in januari zelfmoord gepleegd. Ze was pas zestien.'

Ik gaf op passende wijze blijk van mijn medeleven. Ze vervolgde,

'Ik geloof niet dat het... dat het zelfmoord was. Dat... dat was niets voor haar.'

Ik probeerde een zucht te onderdrukken. Even verscheen er een verbitterde glimlach op haar gezicht. Ze zei,

'Dat zeggen ouders altijd... toch? Maar daarna is er nog iets gebeurd.'

'Waarna?'

'Er heeft later nog een man gebeld. "Ze is verdronken," zei hij.'

Haar woorden brachten me even van de wijs. Ik probeerde de draad weer op te pakken en vroeg,

'Wat?'

'Dat waren zijn woorden. Verder zei hij niets, alleen die drie woorden.'

Het drong tot me door dat ik niet eens wist hoe ze heette.

'Ann... Ann Henderson.'

Hoe ver liep ik achter? Het was tijd voor actie. Ik stortte me op mijn koffie-met-cognac. Actie dus. Ik zei,

'Mevrouw Henderson... ik... '

'Het is niet 'mevrouw' – ik ben niet getrouwd. Sarahs vader is er al een hele tijd geleden vandoor gegaan. We waren met z'n tweetjes... en daarom weet ik ook dat ze... dat ze me nooit in de steek zou laten.'

'Annie, als zich zo iets tragisch voordoet, duiken er overal gekken en gestoorden op. Ze komen er gewoon op af. Ze storten zich als aasgieren op andermans leed.'

Ze beet op haar onderlip. Toen keek ze op en zei,

'Maar hij wist het.'

Ze rommelde wat in haar handtas, waaruit ze een dikke envelop tevoorschijn haalde, en zei,

'Ik hoop dat dit genoeg is. Het waren onze spaarcenten voor een reis naar Amerika. Sarah had alles uitgestippeld.'

Ze legde een foto naast het geld. Ik deed of ik er naar keek. Ze zei,

'Wilt u het proberen?'

'Ik kan niets beloven.'

Ik weet dat ik nog veel meer had moeten, of kunnen, zeggen. Maar ik zei niets. Ze vroeg,

'Waarom drink je toch zoveel?'

Daar had ik niet op gerekend. Ik zei,

'Ik heb niet veel keus.'

'Dat is onzin.'

Ik merkte dat ik boos begon te worden. Niet echt woedend, maar toch. Ik vroeg,

'En waarom zoek jij hulp bij iemand die... die zwaar aan de drank is?'

Ze stond op, keek me nadenkend aan en zei,

'Ze zeggen dat je goed bent omdat je verder toch niets te doen hebt.'

En ging er vervolgens vandoor.

"... neemt de hem opgedragen
taken snel en voortvarend ter
hand."

uit een beoordelingsrapport

Ik woon aan het kanaal. Vlak bij de universiteit. 's Nachts zit ik graag bij het open raam te luisteren naar de herrie die de studenten maken.

Studenten zijn echte herrieschoppers.

Het huis is klein, twee verdiepingen. De huisbaas heeft er twee appartementen van gemaakt. Ik woon op de begane grond. Op de bovenverdieping woont een meisje dat Linda heet. Ze werkt bij een bank. Ze komt van het platteland, maar heeft zich de ergste trekjes die bij het leven in een grote stad horen, eigen gemaakt. Gewiekst en gehaaid, zo eentje dus.

Ze is amper twintig en leuk om te zien. Op een keer, toen ze haar sleutel vergeten had, heb ik het slot van haar voordeur voor haar opengebroken. In een overmoedige bui vroeg ik,

'Zin in een avondje uit?'

'Ik heb een gouden regel, waar ik nooit van afwijk.'

'En wat houdt dat in?'

'Dat ik geen afspraakjes maak met dronkaards.'

Een tijdje later had haar auto een lekke band. Ik monteerde het reservewiel. Ze zei,

'Sorry van de vorige keer. Dat was niet echt cool van me.'

Niet echt cool!

Vreselijk, die Amerikaanse uitdrukkingen die iedereen tegenwoordig te pas en te onpas gebruikt.

Ik kwam overeind. Mijn handen zaten onder het vet. Ik wachtte. Ze ging verder,

'Ik had dat... zo niet moeten zeggen.'

'Niet mee zitten.'

Vergevingsgezindheid werkt verslavend. Het werkt ook debiliserend. Ik zei,

‘Gaan we dan toch samen ergens wat eten?’
‘Nee, geen denken aan.’
‘Hoe bedoel je?’
‘Je bent veel te oud.’
Later die avond sloop ik in het donker de deur uit om haar band lek te steken.

Ik lees. Ik lees me te pletter. Tussen mijn zuippartijen door, lees ik alles wat los en vast zit. Meestal misdaadverhalen. Ik heb pas nog de autobiografie van Derek Raymond, *Het Verborgen Archief*, uitgelezen.

Dat is pas klasse.

Wat een kerel!

Het feit dat hij ten slotte aan de drank was bezweken, schiep een extra band. Boven de spiegel in mijn badkamer had ik een citaat hangen:

'Het menselijk bestaan' is soms datgene wat een veldwaarnemer op een vooruitgeschoven artilleriepost waarneemt als hij door een verrekijker de vijandelijke linies observeert. Een blik in de verte, die des te verontrustender is omdat hij, na eenmaal te zijn scherpgesteld, de waarnemer met een overvloed aan weerzinwekkende details confronteert.

En met ieder glas dat ik drink, probeer ik de weerzinwekkende details uit mijn eigen bestaan uit te wissen. Maar dat lukt maar voor even, want daarvoor staan ze, in al hun gore vunzigheid, te diep in mijn ziel gegrift. Er is geen ontkomen aan.

En God weet dat ik het geprobeerd heb; sinds de dood van mijn vader heb ik me voornamelijk met de dood beziggehouden. In mijn hoofd draag ik de dood voortdurend met me mee, als de tekst van een of ander halfvergeten lied.

Een filosoof, Rochefoucauld, heeft ooit geschreven dat er een overeenkomst bestaat tussen de dood en het zonlicht: je kunt er niet rechtstreeks naar kijken. Ik worstelde me door allerlei boeken over de dood heen.

Sherwin Nuland – *Hoe Wij Doodgaan*
Bert Keizer – *Het Refrein Is Hein*
Thomas Lynch – *Ondergronds*
Ik weet niet of ik op zoek was naar
Antwoorden
Troost
Begrip.

Ik heb niets van dat alles gevonden.

Ergens in mijn ingewanden had ik een gapend gat waarvan de randen aanvoelden als een grote bonk rauw vlees. Na de begrafenis zei de pastoor,

'De tijd heelt alle wonden.'

Ik wilde het uitschreeuwen – 'Nee, godverdomme! Ik wil niet dat het over gaat. Ik wil het bij me houden, ik wil het nooit meer vergeten!'

Mijn vader was een schat van een man. Ik weet nog goed dat hij, toen ik nog klein was, soms opeens al de meubels in de keuken tegen de muur begon te schuiven. Stoelen, tafels, de hele zooi. Daarna pakte hij mijn moeder bij de hand en dansten ze samen op en neer door de keuken. Dan riep ze steeds lachend,

'Gekke vent!'

En wat er ook gebeurde, hij zei altijd,

'Zolang je kunt dansen, heb je altijd een streepje voor op de rest.'

Hij heeft zijn hele leven gedanst, tot het niet meer ging.

Ik dans nooit.

"Dode baby's laten ons geen herinneringen na.
Ze laten ons dromen na."

Thomas Lynch, *Ondergronds*

Ik bezocht het graf van het dode meisje. Ze lag op het kerkhof van Rahoon, waar ook de dode minnaar van Nora Barnacle ligt begraven.

Ik kan niet uitleggen wat ik hier eigenlijk kwam doen. Het graf van mijn vader ligt op een heuveltje vlak in de buurt. Ik was zo moe dat ik het niet op kon brengen om hem gedag te gaan zeggen. Ik had het gevoel dat ik hem stiekem voorbijliep. Op sommige dagen is de gedachte aan zijn verlies te sterk en kan ik een bezoek aan zijn graf gewoon niet opbrengen.

Het graf van Sarah Henderson lag tegen de oostelijke muur van het kerkhof, op een van de weinige plaatsen waar zonlicht door kon dringen. Op een tijdelijk, inderhaast getimmerd kruis stond:

SARAH HENDERSON

Meer niet.

Ik zei,

'Sarah, ik zal m'n best voor je doen.'

Vlak buiten de poort vond ik een telefooncel. Ik belde Cathy B. De telefoon ging negen keer over voordat ze opnam met

'Ja?'

'Hé, Cathy... neem je altijd zo op?'

'Jack?'

'Ja.'

'Hoe is het met je?'

'Ik sta nu bij het kerkhof.'

'Daar kun je beter staan dan liggen, zou ik zeggen.'

'Wil je wat voor me doen?'

'Tuurlijk. Ik zit zo om poen te springen, dat geloof je niet.'

Ik gaf haar alle informatie en verdere details, en zei,

'Kijk of je haar schoolvriendinnen te pakken kunt krijgen, en haar vriendje...'

'Je hoeft me niet te vertellen wat ik moet doen.'

'Het spijt me.'

'Dat is je geraden. Ik bel je over een paar dagen.'

Klik.

Ongeveer een jaar geleden liep ik 's avonds laat langs het kanaal naar huis. Na middernacht is dit de plaats waar het allemaal gebeurt. Alcoholisten, junks, milieufreaks, eenden – plus de gewone gekken. Hier voel ik me thuis.

Een buitenlander wilde me zijn jas verkopen, maar verder gebeurde er die avond niets bijzonders. Aan het eind van het kanaal zag ik een meisje op haar knieën voor een man zitten. Heel even dacht ik dat ze hem zat te pijpen, maar toen zag ik dat hij zijn hand ophief en met kracht op haar hoofd liet neerkomen. Ik rende er naar toe en ramde mijn elleboog in zijn nek.

Hij struikelde en viel tegen het hek. Het meisje had een paar schrammen op haar gezicht. Ik zag dat haar ene wang al onder de blauwe plekken zat. Ik hielp haar overeind. Ze zei,

'Hij wil me vermoorden.'

Ik gaf hem nog een dreun met mijn elleboog. Ik hoorde,

'Argh... gh.'

Ik zei,

'Bekijk 't maar.'

Ik vroeg haar,

'Kun je lopen?'

'Ik kan het proberen.'

Ik sleurde de kerel aan zijn overhemd omhoog.

En van je

Eén

Twee

Drie

En hupsakee.

Door het gewicht van zijn eigen lichaam belandde hij in het kanaal. Een kwestie van zwaartekracht, vermoed ik.

Terwijl ik de deur van mijn appartement van slot stond te doen, hoorden we uit het water woeste kreten opstijgen. Ze zei,

'Zo te horen kan hij niet zwemmen.'

'Wie maakt zich daar druk om?'

'Ik niet.'

Ik maakte een paar daverend sterke, gloeiend hete whiskey.

Bergen suiker
Kruidnagelen
Liters Jameson.

Ze pakte het glas met beide handen beet. Ik zei,

'Opdrinken.'

En dat deed ze.

Ik draaide Lone Star. Het eerste nummer heette 'Amazed'.

Ze zei,

'Is dat country?'

'Zeker weten.'

'Bagger.'

'Drink maar door, dan wordt het vanzelf minder erg.'

Ik bekeek haar eens goed. Piekhaar, een piercing in een wenkbrauw, dikke lagen zwarte mascara. Daaronder zat ergens een aardige meid verborgen. Ze kon zestien zijn. Of zesendertig. Ze had een Londens accent, maar – vanwege haar Ierse intonatie – zonder scherpe kantjes. Met als gevolg dat ze voortdurend op het punt leek te staan om te vervallen in wat de Engelsen 'zangerigheid' noemen.

Dat ze dat niet deed, pleit voor eeuwig in haar voordeel.

Geen wonder dat ik haar aardig vond.

Aan haar linkerarm droeg ze een hele rij zware zilveren armbandjes, die echter de sporen op haar onderarm niet helemaal bedekten. Ik zei,

'Heb je gebruikt?'

'Ben jij een smeris?'
'Wel geweest.'
'Wat zei je?'
'Ik ben vroeger bij de politie geweest.'
'Verdomme.'
Zo leerde ik Catherine Bellingham kennen. Ooit was ze in Galway terechtgekomen toen ze een rockband achternareisde die in de Black Box optrad. Toen de band uit elkaar ging, was zij in Galway gebleven.
'Ik zing,' zei ze.
Zonder aankondiging zette ze 'Troy' in. Heel moeilijk om dat a capella te zingen. Ik was nooit wat je noemt gek op Sinéad O'Connor geweest, maar toen ik haar hoorde, bedacht ik me.
Zoals Cathy het zong, klonk het als een klaagzang vol melancholieke schoonheid. Ik hield mijn glas tegen het licht en zat stomverbaasd te luisteren.
'Prachtig gewoon.'
Ze ging meteen verder met 'A Woman's Heart'.
Ook het repertoire van Mary Black verdiende een heroverweging.
Het was of ik die liedjes nu pas voor het eerst hoorde. Na afloop zei ik,
'Jezus, wat kun jij mooi zingen.'
'Dacht ik ook.'
Ik schonk nog maar eens in en zei,
'Op de schoonheid.'
Ze raakte haar glas niet aan, maar zei,
'Ik zing het volgende nummer eigenlijk nooit, maar ik ben nu toch dronken, dus...'
Het was 'No Woman, No Cry.'

Ik ben zo'n zuipschuit dat de emotie van dat nummer me op het lijf is geschreven. Terwijl ik zat te luisteren, bedacht ik dat dit het moment was om een joint op te steken. Liefst eentje met de sterkste Colombiaanse die er te krijgen was. Maar naar Cathy luisteren had hetzelfde effect als een shot, al kan ik niet precies uitleggen wat ik daarmee bedoel. Cathy hield op met zingen en zei,

'Dat is alles. Einde voorstelling.'

In een opwelling zei ik,

'De meest zuivere zangstemmen klinken in het diepst van de hel.'

Ze knikte en zei,

'Kafka.'

'Wie?'

'Die heeft dat gezegd.'

'Ken je hem?'

'Ik ken de hel.'

KLAAGZANG

In Ierland zeggen ze, ‘Als je hulp nodig hebt, ga dan naar de politie – en als je geen hulp nodig hebt ook.’

Dus ging ik.

Sinds mijn ontslag kreeg ik om de paar maanden de volgende brief:

MINISTERIE VAN JUSTITIE

A Chara,

Overeenkomstig de bepalingen die van toepassing zijn bij de beëindiging van een arbeidsovereenkomst, wijs ik u er op dat u, ingevolge Artikel 59347A van de Bepalingen omtrent Uniformen en Uitrustingsstukken, alle in uw bezit zijnde staatseigendommen onverwijld dient over te dragen.

Ons is gebleken dat u met betrekking tot artikelnummer 8234 – een standaard politieoverjas – tot op heden in gebreke bent gebleven.

Wij verwachten dat u het genoemde artikel zo spoedig mogelijk aan ons retourneert.

Mise le meas,
B. Finnerton.

Ik maakte een prop van de meest recente brief en smeet die dwars door de kamer. Het lukte me niet om de muur te raken. Buiten goot het. Ik trok artikel 8234 aan.

Hij paste precies.

De enige herinnering aan mijn vorige loopbaan.

Terugbrengen? Mooi niet.

Mijn vroegere collega, Clancy uit Roscommon, had promotie gemaakt. Ik stond op de stoep van het politiebureau en vroeg me af hoe de ontvangst zou zijn.

Ik haalde diep adem en stapte naar binnen. Een garda van een jaar of twaalf vroeg,

'Ja, meneer?'

Was ik nu echt een ouwe lul geworden? Ik zei,

'Kan ik garda Clancy spreken? Ik heb geen idee welke rang hij momenteel heeft.'

Het joch keek me met uitpuilende ogen aan. Hij zei,

'Hoofdinspecteur Clancy?'

'Dat moet 'm zijn.'

Ik bespeurde enige achterdocht.

'Heeft u een afspraak?'

'Zeg maar dat Jack Taylor hem wil spreken.'

Hij dacht even na en zei toen,

'Ik zal even kijken. Een ogenblik.'

'Ik wacht wel even.'

Ik bekeek ondertussen het mededelingenbord en een paar posters, waarop de gardaí als een publieksvriendelijke, relaxte organisatie werd voorgesteld. Ik wist wel beter. De jongeman kwam terug en zei,

'De hoofdinspecteur zal u in verhoorkamer B te woord staan. Als u de zoemer hoort, kunt u doorlopen.'

Hij drukte op de zoemer.

De kamer was lichtgeel geschilderd. Een eenzame tafel en twee stoelen. Ik nam plaats op de stoel van de verdachte. Ik overwoog even of ik mijn jas uit zou trekken, maar misschien zouden ze hem dan in beslag nemen. Aanhouden, dus.

De deur ging open en Clancy stapte naar binnen. Een heel ander iemand dan de Clancy die ik me herinnerde. Hij had een embonpoint, zoals de Fransen dat zo mooi noemen. Of, om mijn eigen woorden te gebruiken, een dikke pens. Of, om nog preciezer te zijn, hij was moddervet geworden. Misschien moet dat ook wel als je hoofdinspecteur bent. Hij had een rooie, kwabbige, uitgezakte kop. Hij zei,

'Wat zullen we nou hebben?'

Ik ging staan en zei,

'Hoofdinspecteur.'

Vond hij leuk. Hij zei,

'Blijf toch zitten, kerel.'

Ik ging weer zitten.

We namen de tijd om bij te praten. We waren geen van tweeën erg onder de indruk van elkaars verhalen. Hij vroeg,

'Wat kan ik voor je doen?'

'Ik wil alleen maar wat inlichtingen.'

'O.'

Ik vertelde hem over het dode meisje en het verzoek van de moeder. Hij zei,

'Ik heb gehoord dat je tegenwoordig een beetje de privé-detective uithangt.'

Ik wist niet wat ik daarop moest antwoorden. Ik beperkte me tot een knikje. Hij zei,

'Ik had toch meer van je verwacht, Jack.'

'Meer dan wat?'

'Meer dan dat je van het verdriet van zo'n arme vrouw gaat lopen profiteren.'

Dat deed pijn, omdat het erg dicht in de buurt van

de waarheid kwam. Hij haalde zijn schouders op en zei,

'Ik kan me dat geval nog herinneren. Zelfmoord.'

Ik vertelde hem over het telefoongesprek, maar hij zuchtte alleen maar en zei met walging in zijn stem,

'Misschien was jij zelf de beller wel.'

Ik waagde een laatste poging en vroeg,

'Mag ik het dossier inzien?'

'Doe niet zo raar... en blijf van de drank af.'

'Betekent dat "nee"?'

Hij kwam overeind en hield de deur voor me open. Ik probeerde uit alle macht een passende uitsmijter te bedenken. Zonder succes. Terwijl ik stond te wachten tot de deur van de gang openging, zei hij,

'Je gaat het ons toch niet lastig lopen maken, Jack?'

'Daar ben ik al mee bezig.'

Ik liep naar Grogan, me troostend met de gedachte dat ze mijn jas niet hadden afgepakt. Sean stond achter de bar en vroeg,

'Wat is er met jou?'

'Krijg de tyfus.'

Ik rende naar mijn vaste stoel en plofte neer. Even later kwam Sean met een pint en een whiskey. Hij zei,

'Kopstoot. Ik neem aan dat je nog steeds drinkt.'

'Ik was aan het werk, ja.'

'Aan die zaak?'

'Waar anders aan?'

'Ik vind het heel erg voor die arme vrouw.'

Toen een tijdje later de drank zijn werk had gedaan zei ik tegen Sean,

'Sorry dat ik daarnet een beetje kortaf was.'

'Een beetje, zei je?'

'Komt door de druk. Daar kan ik niet goed tegen.'

Hij sloeg een kruis en zei,

'Goddank! Is dat alles?'

"Hoe vaak heeft een privé-detective
een misdaad opgelost?
Nog nooit!"

Ed McBain

Er zijn mensen voor wie het leven iets van een film heeft. Voor Sutton heeft het leven iets weg van een slechte film.

Ze zeggen dat het verschil tussen wel of geen vrienden hebben met een wiskundige term kan worden aangeduid: oneindigheid. Ben ik het mee eens. Of dat iemand die een vriend heeft niet als mislukt kan worden beschouwd. Moet ik het ook mee eens zijn.

Sutton is mijn vriend. Toen ik pas bij de politie was, moest ik patrouille lopen aan de grens met Noord-Ierland. Een saaie klus: regen en nog eens regen. Je hoopte op een schietpartij, maar het enige wat je kreeg was patat met koude worst. Meestal zat je te kleumen in een nissenhut.

Het enige vertier was de kroeg.

Ik dronk in een café dat door de eigenaar met gevoel voor fantasie The Border Inn was gedoopt. De eerste keer dat ik daar kwam, zei de barman,

'Ierse agenten stralen allemaal warmte uit. Heel anders dan die kille Britten.'

Ondanks dat ik het stervenskoud had, schoot ik in de lach. Hij zei,

'Ik heet Sutton.'

Hij leek op Alex Ferguson. Niet op de Alex Ferguson van vroeger, maar op het alom bewonderde idool uit zijn glorietijd.

'Waarom ben je bij de gardaí gegaan?' vroeg hij.

'Om mijn vader te pesten.'

'Had je een hekel aan je ouweheer?'

'Nee, ik hield juist heel veel van hem.'

'Was je soms een beetje in de war?'

'Nee, het was meer een test. Ik wilde kijken of hij me tegen wilde houden.'

'En deed hij dat?'

'Nee.'

'Waarom neem je dan geen ontslag?'

'Omdat ik het eigenlijk best leuk ben gaan vinden.'

In de maanden dat ik bij de grenspolitie zat, ging ik vaak naar Suttons café om daar flink door te zakken. Op een keer gingen we samen naar een dansavond in Zuid-Armagh. Ik vroeg hem,

'Moet ik nog iets meenemen?'

'Een machinegeweer.'

We gingen op weg naar de dansavond. Ik had artikel 8234 aan. Sutton vroeg,

'Als je gaat dansen, doe je die jas toch wel uit, hoop ik?'

'Misschien.'

'O, en nog iets: mondje dicht.'

'Wát?'

'Zuid-Armagh is bandit country. Als ze je Iersc accent horen, kunnen we daar heibel mee krijgen.'

'Hoe moet ik ze dan ten dans vragen? Een briefje onder hun neus duwen?'

'Jezus, Taylor, het is een dansavond. We gaan het op een zuipen zetten.'

'Ik kan ze mijn knuppel laten zien.'

De dansavond was een ramp. De zaal zat vol met stellen. Geen vrouw zonder partner te bekennen. Ik zei tegen Sutton,

'Ze zijn allemaal voorzien.'

'Dit is Noord-Ierland, ze nemen het zekere voor het onzekere.'

'Hadden we niet gewoon naar een kroeg kunnen gaan?'

'Daar heb je niet dezelfde sfeer.'

Het dansorkest stamde nog uit de tijd dat kleine combo's in de mode waren. Negen musici, gekleed in blauwe blazers en witte pantalons, van wie de meesten op een bugel bliezen. Ze hadden meer bugels dan het Ierse leger.

Of welk leger dan ook.

Het repertoire varieerde van hucklebuck tot keiharde nummers van de Beach Boys, afgewisseld met nummers van het Eurovisiesongfestival.

Je hebt pas een idee van wat de hel is als je in een danszaal in Zuid-Armagh tussen een publiek hebt gestaan dat luidkeels 'Surfin' Safari' staat mee te zingen.

We reden via een als berucht bekend staande route terug. Toen ik in het spiegeltje keek, zag ik een paar koplampen dichterbij komen. Ik zei,

'O, o.'

De auto probeerde ons een paar keer in te halen, maar Sutton wist dat door behendig manoeuvreren steeds te voorkomen. Pas in de buurt van de grens wisten we de achtervolgers af te schudden. Ik vroeg,

'Van welke kant denk je dat die lui waren?'

'Van de verkeerde.'

'En dat zijn de...'

'De lui die je om vier uur 's ochtends achterna zitten.'

Wat overblijft is niet altijd
het minste
van wat is blijven liggen.

Sutton verhuisde naar Galway. Ik vroeg,

'Kom je mij achterna?'

'Yep.'

Hij wilde kunstschilder worden. Ik zei,

'Als je mijn voorbeeld volgt, ben je binnenkort ook aan de drank.'

Maar hij had wel talent. Ik wist niet of ik dat leuk moest vinden of alleen maar jaloers was. Waarschijnlijk allebei, volgens de goede Ierse traditie waarbij het een niet zonder het ander schijnt te kunnen. Zijn doeken begonnen te verkopen en hij ging zich artistiek gedragen. Hij kocht een huisje in Clifden. Om eerlijk te zijn vond ik hem een steeds grotere klootzak worden.

Dat zei ik ook.

Hij lachte en zei,

'Het is maar een spelletje; na een tijdje verdwijnt het weer, net als geluk.'

En dat was ook zo.

Een paar maanden later was hij weer gewoon zichzelf. In Galway lossen bijna alle pretenties vanzelf op in de regen.

Zelfs op z'n slechtst was Sutton beter dan de meeste andere mensen op hun best.

Na mijn gesprek met Clancy belde ik Sutton op. Ik zei,

'Help.'

'Wat is er aan het handje?'

'De politie!'

'O, die. Wat doen ze nou weer?'

'Ze willen me niet helpen.'

'Daar mag je God dankbaar voor zijn.'

Ik sprak met hem af bij Grogan. Toen ik daar aankwam, was hij met Sean in een diep gesprek gewikkeld. Ik zei,

'Mannen!'

Sean ging rechtop staan. Geen geringe prestatie. Zijn ruggenwervels schreeuwden het zowat uit van de pijn. Ik zei,

'Je moet Radox nemen.'

'Ik wacht liever tot er een wonder gebeurt.'

Ze keken allebei vol verwachting mijn kant uit. Ik zei,

'Wat is er?'

Ze zeiden tegelijk,

'Zie je niets nieuws?'

Ik keek om me heen. Het was nog steeds dezelfde oude kroeg. Aan de bar zat een stelletje trieste zuipers, aan hun pints gekluisterd door dromen die er niet meer toe deden. Ik haalde mijn schouders op. Wat niet meevalt als je vijfenveertig bent. Sean zei,

'Ben je blind of zo? Weet je nog waar die hurleys hingen?'

Op die plek hing nu een schilderij van Sutton. Ik liep er naartoe. Ik meende dat het een blond meisje in een verlaten straat voorstelde. Maar het kon net zo goed Galway Bay zijn. Een van de drinkers zei,

'Ik vond de hurleys mooier.'

Sean zei,

'Knap, hè?'

Hij haastte zich naar het koffiezetapparaat om koffie voor ons in te schenken.

Met
En zonder
Sterke drank.

'Ik heb een tentoonstelling gehad bij Kenny. Aan dat schilderij hing een prijskaartje van vijfhonderd guineas.'

'Guineas nog wel!'

'Klasse verloochent zich niet. Vind je het mooi?'

'Is het Galway Bay?'

'Het heet "De Blondine op de Straathoek".'

'Oh...'

'Dat is ook de titel van een misdaadroman uit 1954, van David Goodis.'

Ik stak mijn hand op en zei,

'Doe de workshop straks maar.'

Hij grijnsde en zei,

'Wat ben je toch een stomme klootzak.'

Ik vertelde hem over de zaak waar ik mee bezig was. Hij zei,

'Ierse tieners plegen tegenwoordig steeds vaker zelfmoord.'

'Weet ik, weet ik, maar dat telefoontje naar de moeder...'

'Weer zo'n zieke geest.'

'Misschien heb je wel gelijk.'

Later liepen we samen door Shop Street. Op de stoep bij boekhandel Eason stond een Roemeense vrouw fluit te spelen. Dat wil zeggen: ze blies zo nu en dan in het instrument. Ik liep naar haar toe en gaf haar een paar shilling. Sutton riep,

'Jezus, zo moedig je haar alleen maar aan.'

'Ik vroeg of ze wilde stoppen als ik haar geld gaf.'

Maar dat deed ze dus niet.

Bij Anthony Ryan op de stoep stond een milieuactivist met brandende fakkels te jongleren. Hij liet er een vallen, maar ging gewoon door met zijn act. Een garda kwam onze kant uitgeslenterd. Sutton knikte naar hem en de garda groette ons met

'Heren.'

Sutton keek me nieuwsgierig aan en vroeg,

'Mis je dat nou niet?'

Ik begreep wat hij bedoelde maar vroeg toch,

'Missen? Wat missen?'

'De politie.'

Ik had geen flauw idee en zei,

'Geen flauw idee.'

We liepen bij Kenny's boekhandel naar binnen, precies op tijd om een winkeldief te betrappen die een dichtbundel van Patrick Kavanagh in zijn broek probeerde te stoppen. De eigenaar, Des, liep langs ons heen en zei,

'Terugzetten, graag.'

Hetgeen geschiedde.

We liepen door de boekhandel op de begane grond de kunstgalerie binnen. Er hingen twee doeken van Sutton, waarop de plakkertjes met "verkocht" duidelijk te zien waren. Tom Kenny zei,

'Je wordt beroemd.'

De hoogste lof die een kunstschilder kan oogsten. Ik zei tegen Sutton,

'Nu kun je je baan opzeggen.'

'Welke baan?'

Het viel moeilijk te zeggen wie van ons tweeën daar het hardst om moest lachen.

De dagen daarop besteedde ik aan verder onderzoek. Ik ging op zoek naar getuigen van de zogenaamde zelfmoord. Die waren niet te vinden. Ik sprak met een van de leraren van het meisje en met een paar van haar schoolvriendinnen, maar kwam niets bijzonders te weten. Als Cathy B. niet met overtuigend bewijs op de proppen kwam, kon ik deze zaak beter opgeven.

Ik had me voorgenomen om het op vrijdagavond een beetje kalm aan te doen. Twee pints en dan patat halen. Maar helaas: de pints waren net iets te veel van het goede. Ik dook de drankkast in en begon aan de Black Bush. Hoeveel glazen? Weet ik niet meer. Maar ik ging wel de deur uit voor de patat. Ik nam er vis bij om het een beetje op een behoorlijke maaltijd te laten lijken.

Bestaat er iets heerlijkers dan patat met een heleboel azijn? De geur alleen al doet je denken aan de jeugd die je nooit hebt gehad. Op de terugweg voelde ik een soort kunstmatige voldoening. Toen ik voor de deur stond, kreeg ik eerst een klap in mijn nek en daarna een trap tegen mijn ballen. Om een of andere waanzinnige reden bleef ik mijn patat vasthouden. Het waren twee mannen. Twee grote kerels. Ik werd op uiterst professionele wijze in elkaar geslagen. Een combinatie van trappen en stompen die ritmisch en met grote precisie werden toegediend. Zonder kwade bedoelingen maar wel met volledige overgave. Ik voelde mijn neusbeentje breken. Ik durf te wedden dat ik het "krak" hoorde zeggen. Een van de twee zei,

‘Pak z’n hand. Hou z’n vingers uit elkaar.’

Ik bood enige weerstand.

Een paar tellen later lag ik met gespreide vingers op straat. De straattegels waren koud en nat. Twee trappen met een schoen. Ik schreeuwde zowat de longen uit mijn lijf.

Toen was het voorbij.

De andere kerel zei,

‘Dat wordt voorlopig niet rukken.’

Een stem vlakbij mijn oor.

‘Bemoei je niet met andermans zaken.’

Ik wilde roepen,

‘Help! Politie!’

Terwijl ze er vandoor gingen, wilde ik ze naroepen,

‘Koop voortaan je eigen patat.’

Maar ik merkte dat mijn mond vol bloed zat.

die ogenblikken vlak voor het einde...

De koortsaanvallen duurden vier dagen. Ik lag in het University College Hospital in Galway. De mensen hier noemen het nog steeds 'het streekziekenhuis'. Als je vroeger in het streekziekenhuis terechtkwam, kon je het wel schudden. Als je nu in het UCH ligt, mag je van geluk spreken.

Een vrouw uit de oude wijk rond het ziekenhuis zei,

'Vroeger hadden we een buik, maar geen eten. Nu hebben we genoeg te eten, maar willen we geen buik meer.'

Of

'Liefje, het regent tegenwoordig zo vaak dat je kleren niet meer droog worden. Vroeger regende het een stuk minder, maar toen hadden we geen kleren.'

Breng daar maar eens iets tegenin.

Ik kwam weer bij kennis en zag dat een Egyptische dokter mijn dossier stond te bestuderen. Ik vroeg,

'Maakt u een mooie mummie van me?'

Hij glimlachte droogjes en zei,

'U moet nog een paar keer terugkomen, meneer Taylor.'

'Niet vrijwillig.'

Ik hoorde ergens een radio. De ziekenhuisomroep. Het was Gabrielle met 'Rise'.

Ik zou met plezier 'Knockin' on Heaven's Door' met haar begeleidingsgroep hebben meegeneuried, maar mijn mond was vreselijk gezwollen. Toen Gabrielle haar muzikale carrière weer wilde oppakken, las ik ergens dat ze op een vuilnisbelt in Brixton het hoofd van de stiefvader van haar ex-vriendje hadden gevonden.

Ik had deze informatie graag met de arts willen delen, maar hij was er al vandoor. Er kwam nu een verpleegster binnen, die meteen mijn kussens begon op te schudden. Dat doen ze altijd als ze ook maar even het idee krijgen dat je lekker ligt.

Mijn linkerhand zat zwaar in het verband. Ik vroeg,

'Hoeveel zijn er gebroken?'

'Drie vingers.'

'En mijn neus?'

Ze knikte en zei toen,

'Er is bezoek. Kunt u dat aan?'

'Tuurlijk.'

Ik had Sutton of Sean verwacht, maar het was Ann Henderson. Toen ze me zag, stokte de adem in haar keel. Ik zei,

'Had je die andere kerel eens moeten zien.'

Ze glimlachte niet. Ze kwam dichterbij en zei,

'Komt dat door mij?'

'Wat?'

'Komt het vanwege Sarah?'

'Nee... nee... natuurlijk niet.'

Ze zette een papieren draagtas op het nachtkastje en zei,

'Ik heb druiven voor je meegebracht.'

'Kans op whiskey?'

'Dat is wel het laatste waar je behoefte aan hebt.'

Sean verscheen in de deuropening. Ik hoorde

'Jezus!'

Ann Henderson boog zich voorover, kuste me op mijn wang en fluisterde,

'Blijf van de drank af.'

En vertrok.

Sean schuifelde naar binnen en zei,

'Zo te zien heeft er iemand behoorlijk de pest aan je.'

'Ach... risico van het vak.'

'Heeft iemand de politie gewaarschuwd?'

'Dit WAS de politie.'

'Dat meen je niet!'

'Ik heb gezien wat voor schoenen ze aanhadden. Van dichterbij dan me lief was. Dienstschoenen, geen twijfel mogelijk.'

'Jezuschristus!'

Sean ging zitten. Hij zag er slechter uit dan ik me voelde. Hij legde een tasje van Dunnes Supermarkt op mijn bed en zei,

'Ik heb wat voor je meegebracht. Een paar dingen waar je misschien behoefte aan hebt.'

'Drank?'

Ik voelde me net de demente pastoor uit Father Ted. Ik rommelde door de inhoud van het tasje.

6 sinaasappels
Lucozade
Een paar Twixen
Deodorant
Een pyjama
En een rozenkrans.

Ik hield de rozenkrans omhoog en vroeg,

'Hoe slecht hebben ze je verteld dat het met me ging?'

Hij stak zijn hand in zijn jaszak en haalde een halve fles Jameson tevoorschijn. Ik zei,

'Moge God je voor altijd behoeden.'

Ik nam een slok uit de fles. Het leek of mijn kapotte neus bewoog. De drank kolkte in mijn hart en tegen mijn pijnlijke ribbenkast. Ik hijgde,

'Geweldig.'

Sean was even weggedommeld. Ik riep,

'Politie!'

Hij schrok op. Hij zag er slechter uit dan daarnet, eenzamer, ouder. Hij zei,

'Jezus, die hitte... waarom is het in ziekenhuizen toch altijd zo verdomd heet?'

Misschien kwam het door de pijnstillers, maar ik had nu het gevoel dat ik straalbezopen was. Ik vroeg,

'Waar is Sutton?'

Sean wendde zijn blik af. Ik zei,

'Wat is er? Vertel op.'

Hij liet zijn hoofd zakken en mompelde iets. Ik zei,

'Praat eens wat duidelijker. Ik kan je zo niet verstaan.'

'Brand. Er is brand geweest.'

'Godver... wát?'

'Hij heeft zelf niets, maar z'n huisje is afgebrand. Z'n schilderijen zijn allemaal verloren gegaan.'

'Wanneer?'

'Ook toen. Op dezelfde avond dat ze jou in elkaar hebben geslagen.'

Ik schudde mijn hoofd. Geen goed idee als de whiskey achter je ogen klotst. Ik zei,

'Wat is er verdomme aan de hand?'

De dokter kwam weer binnen en zei,

'Meneer Taylor, u moet rusten.'

Sean ging staan en legde een hand op mijn schouder.
'Ik kom vanavond terug.'
'Dan ben ik hier niet meer.'
Ik sloeg mijn benen over de rand van het bed. De dokter raakte in paniek en zei,
'Meneer Taylor, ik sta erop dat u weer gaat liggen.'
'Ik ga er vandoor... TEDA... zo noemen ze dat toch?'
'TEDA?'
'Tegen doktersadvies. Jezus, kijkt u nooit naar ER?'
Ik werd heel even duizelig, maar de drank deed zijn werk. Ieder bloedlichaampje in mijn lichaam schreeuwde om pints vol romige Guinness. Ladingen en nog eens ladingen van het spul. Alle ellende van de wereld viel op Seans gezicht te lezen toen hij zei,
'Jack, wees toch redelijk.'
'Redelijk! Dat ben ik nooit geweest.'
Ik vond het goed dat ze een taxi voor me bestelden. Toen ik in een rolstoel naar de uitgang werd gereden, zei een verpleegster in het voorbijgaan tegen me,
'Dat is goed stom wat u nu doet.'

SPIEGELTJE, SPIEGELTJE

De non zat Patricia Cornwell te lezen. Toen ze zag dat ik naar het omslag keek, zei ze,

'Kathy Reichs is beter.'

Het is beter om niet op dat soort opmerkingen te reageren. Ook niet op een fatsoenlijke manier. Ik vroeg,

'Ben ik te vroeg?'

Ze legde met tegenzin haar boek opzij en zei,

'Nog een half uur. U kunt nog wat rondwandelen als u wilt.'

Zo gezegd, zo gedaan.

Het klooster van de arme clarissen ligt precies in het centrum. Elke zondag wordt er om halfzes een Latijnse mis opgedragen. Vijftig jaar terug in de tijd.

Haast middeleeuws.

De rituelen, de geur van wierook en de Latijnse gezangen bieden een troost die niet in woorden is uit te drukken.

Ik weet niet waarom ik erheen ga. Als ze me vragen wat ik geloof, pak ik de sportpagina van de krant en lees de uitslagen voor. Dat zei ik in een onbewaakt ogenblik ook tegen Cathy B. Sinds die tijd achtervolgt ze me ermee. Ik zei,

'Waarom? Je bent zelf een soort Engelse heiden.'

'Ik ben boeddhiste.'

'Zie je nou wel? Waarom wil je dan toch naar de mis?'

'Vanwege het hoge *Brideshead*-gehalte.'

'Wát?'

'In Engeland is het katholicisme iets voor een kleine elite. Evelyn Waugh en Graham Greene zijn bekeerde schrijvers.'

Ten slotte gaf ik toe. Ik stond nu te kijken hoe ze het kloosterterrein betrad. Ik had haar gewaarschuwd,

'Kleed je fatsoenlijk aan. Niet dat Gothic-gedoe.'

Ze had een lange jurk aangetrokken. Mooi als je naar een dansavond van de personeelsvereniging van de Bank of Ireland gaat, maar niet iets om naar de mis te dragen. Toen zag ik de Doc Martens. Ik zei,

'Docs!'

'Ik heb ze gepoetst, hoor.'

'Maar ze zijn blauw.'

'Nonnen zijn gek op blauw.'

'Hoe weet je dat?'

'Ik heb *Agnes of God* gezien.'

Toen zag ze mijn neus en mijn vingers in het gips. Haar wenkbrauwen schoten omhoog. Ik vertelde haar wat er was gebeurd. Ze zei,

'Te gek, zeg.'

'Wát?'

'Denk je dat ze mij ook nog te pakken nemen?'

'Er is geen 'ze'... dit was puur toeval.'

'Ja... natuurlijk.'

Klokgelui. Cathy vroeg,

'Hoe weet ik wat ik moet doen?'

'Kijk maar naar mij.'

'Dan worden we er straks allebei uitgesodemieterd.'

Het interieur van het kerkje was warm en uitnodigend. Cathy pakte een blaadje met liedteksten en riep verrukt,

'Er wordt gezongen!'

'Niet jouw soort muziek.'

Toch wel.

De gelovigen zongen de liederen mee. Cathy klonk boven iedereen uit. Na afloop kwam er een non naar haar toe, die haar een compliment maakte en vroeg,

'Zou u er voor voelen om, als het u zo uitkomt, solostukken te zingen?'

Ik kwam tussenbeide.

'Zij is niet een van ons.'

Cathy en de non keken me vol minachting aan. Ik maakte stilletjes dat ik wegkwam.

Broeder Malachy was ondertussen gearriveerd. Meteen nadat hij van zijn fiets was gestapt, stak hij een sigaret op. Ik zei,

'Je bent te laat.'

Hij glimlachte en antwoordde,

'Te laat waarvoor?'

Malachy leek sprekend op Sean Connery, maar dan zonder

De zongebruinde huid
De golfhobby.

Je kon niet zeggen dat je met hem bevriend was. Pastoors hebben andere loyaliteiten. Ik ken hem al vanaf mijn jeugd. Hij keek naar mijn verwondingen en zei,

'Nog steeds aan de drank?'

'Dit heeft daar niets mee te maken.'

Hij haalde zijn sigaretten tevoorschijn. Major. Het groenwitte doosje. Zo sterk als een trap van een muilezel en twee keer zo dodelijk. Ik zei,

'Je rookt nog steeds.'

'Net als Bette Davis.'

'Die is toch dood?'

'Dat bedoel ik dus.'
Er kwamen twee nonnen langs. Hij zei,
'Alles glimt weer als een spiegeltje.'
'Wat?'
'Poetsen. Zoals zij dat doen. Daar kan niemand aan tippen.'
Ik keek even om me heen of niemand ons kon horen en vroeg toen,
'Wat is tegenwoordig het standpunt van de Kerk inzake zelfmoord?'
'Hoezo, heb je plannen?'
'Nee, even serieus. Is het verbod op het begraven in gewijde grond nog steeds van kracht?'
'Je bent niet erg op de hoogte, Jack.'
'Is dat een antwoord?'
'Nee, dat is een triest feit.'

FEITEN

Cathy B. en ik aten letterlijk 'buiten de deur'. We zaten met onze porties afhaalchinees bij Spanish Arch naar het water te kijken. Ze zei,

'Ik heb mijn rapport klaar.'

'Laten we eerst eten.'

'Oké.'

Ik gooide wat chow mein naar de zwanen, maar die waren zo te zien niet verzot op chinees. Er kwam een dronken man langs. Hij vroeg,

'Hebbu een vijfje voor me?'

'Ik geef je een pond.'

'Als 't maar geen euro's benne.'

Hij keek naar mijn eten. Ik bood hem het bakje aan. Hij pakte het met grote tegenzin beet en vroeg,

'Buitenlands?'

'Chinees.'

'Heb ik over een uur weer honger.'

'Maar je hebt ook nog een pond.'

'En m'n gezondheid.'

Hij ging er vandoor om een groepje Duitse toeristen lastig te vallen. Ze namen een foto van hem. Cathy zei,

'Voordat ik over m'n rapport ga praten, wil ik je eerst nog iets anders vertellen.'

'Dat kan ik denk ik wel aan.'

Ze begon.

'Mijn vader was een tweederangs accountant. Ken je dat grapje... 'Weet je waaraan je een extraverte accountant kunt herkennen? Aan het feit dat hij naar *jouw* schoenen staart.' Maar goed... hij heeft tot z'n vijftigste gewerkt zonder ook maar één keer promotie te maken. Mijn moeder ging altijd vreselijk tegen hem tekeer.

Wat me nog het meest is bijgebleven is dat hij tien precies eendere kostuums had. Daar was mijn moeder altijd boos over. Mijn moeder was een echte kenau.

'Tegenover mij was hij altijd heel erg aardig en gul. Toen ik negen was, werd hij ontslagen omdat hij vaak dronken was. Mijn moeder zette hem meteen het huis uit. Hij nam zijn tien kostuums mee en kwam bij Waterloo Station terecht. Daar heeft hij een tijdje in een van de tunnels gewoond. Hij trok steeds een schoon pak aan en als het vuil was, gooide hij het weg. Toen hij aan het laatste pak toe was, is hij om vijf over negen 's morgens voor de trein uit Southampton gesprongen.'

'Dat is de sneltrein.'

'Ik haatte hem omdat mijn moeder hem ook haatte. Toen ik oud genoeg was om te begrijpen wat *haar* dreef, begon ik meer begrip voor hem te krijgen. Ik heb eens gelezen dat de moeder van Hemingway hem het geweer stuurde waarmee zijn vader zelfmoord had gepleegd. Maar zo gemeen en berekenend was mijn moeder niet. Na haar dood moest ik haar spullen opruimen. Tussen de paperassen vond ik een dienstregeling met de aankomsttijden van de treinen naar Waterloo. Ik hoop dat ze begrepen heeft dat hij eindelijk de moeite had genomen om ergens op tijd te zijn.'

Ze huilde. De tranen liepen langs haar gezicht en vielen als regendruppels langs een raam in haar bakje bami met currysaus. Ik maakte de enige fles wijn die we bij ons hadden open en gaf hem aan haar. Ze maakte een afwerend gebaar en zei,

'Het gaat wel weer. Ben jij nog steeds digibeet?'

'Zeker weten.'

'Dan zal ik het niet te ingewikkeld maken. Ik heb wat zoekopdrachten over zelfmoorden onder Ierse tieners in de afgelopen zes maanden in de computer ingevoerd. Er kwamen twee antwoorden op het scherm. Heb je wel eens van Planter gehoord?'

'Is dat niet een merk pindakaas?'

'Nee, ik bedoel die grote doe-het-zelfwinkel aan de overkant van Edward Square.'

'Waar ook die nieuwe supermarkt van Dunnes zit?'

'Precies.'

'Jezus, Edward Square! Ik bedoel... midden in Galway, hoe Iers is dat nou helemaal?'

Ze keek me even aan en ging verder,

'Ik kwam drie zelfmoorden op het spoor. Alledrie meisjes die parttime bij Planter werkten.'

'En?'

'En dat is dus een beetje vreemd. Bartholomew Planter, de eigenaar, is van Schotse origine. Hij is steenrijk.'

'Dat kan, Cathy. Niets mis mee.'

'Maar er is meer.'

'Ga door.'

'Weet je wie de bewaking daar verzorgt?'

'Geen idee.'

'Green Guard.'

'En?'

'Daar werken politieagenten die wat bij willen klussen.'

'O.'

'Zeg dat wel.'

Ze nam een slok wijn en vroeg,
'Hoe nu verder, speurneus?'
'Misschien moet ik maar eens met meneer Planter gaan praten.'
'Meneer Ford.'
'Ford?'
'De manager.'
'Dan moet ik die dus hebben.'
Ze zat een tijdje naar het water te kijken en vroeg toen,
'Zin om te neuken?'
'Wat?'
'Je hebt me wel gehoord.'
'Jezus, hoe oud ben je? Negentien of zo?'
'Ben je van plan om me voor mijn werk te betalen?'
'Jawel... binnenkort.'
'Dan is een nummertje maken wel het minste wat we kunnen doen.'
Ik stond op en zei,
'Heb je nog meer ontdekt?'
'Vanzelfsprekend.'
'Vertel op.'
'Meneer Planter houdt van golf.'
'Dat kun je geen verdacht gedrag noemen.'
'Als je weet wie zijn partner is, misschien wel.'
'Wie is dat dan?'
'Een zekere hoofdinspecteur Clancy.'
Ik ging er vandoor.

DOE-
HET-
ZELF

Ik had bijna geschreven dat ik mijn beste pak aantrok, maar ik heb er maar één. Twee jaar geleden gekocht in de Oxfam-winkel. Het is donkerblauw met smalle revers. Met dat pak aan lijk ik een stuk breder. Er bestaat een video van Phil Collins, waarin je hem drie keer in beeld ziet. Zo'n pak dus. Ik hoop alleen maar dat ik door dat pak niet op Phil Collins lijk. Als ik zeg dat het minder dan tien pond gekost heeft, begrijpt u wel wat ik daarmee bedoel.

Dat was nog in de tijd vóór ze bij Oxfam kapsones begonnen te krijgen. Ik had een wit overhemd, dat ik jammer genoeg samen met een donkerblauw T-shirt in de wasmachine had gestopt. Ik draag het alsof het een exclusief geknoopverfd hemd uit een dure boetiek is. Stropdas los, voor het 'wat-kan-het-me-schelen'-effect. Stevige bruine stappers. Aan de schoenen herkent men de man. Met spuug gepoetst tot ze zo glommen dat je jezelf erin kon zien.

Laatste controle voor de spiegel. Ik vroeg hardop,

'Zou je een tweedehands auto van deze man kopen?'

Nee dus.

Ik belde Suttons mobiele nummer. Ik kreeg een antwoordapparaat en liet een boodschap achter. Ik liep de stad in. Ik probeerde te doen alsof ik tot de burgerij van Galway behoorde, maar dat lukte me voor geen meter. Bij de abdij stak ik een kaars aan voor de H. Antonius, de patroon van verloren zaken. Heel even overwoog ik hem te vragen om me *mezelf* te helpen vinden, maar dat leek me een beetje overdreven. Er gingen mensen biechten. Ik zou er heel wat voor over hebben als ikzelf mijn eigen zonden ook zo kon laten uitwissen.

Toen ik weer buiten stond, wenste een franciscaner monnik me goedemorgen. Hij was een toonbeeld van blakende gezondheid. Van mijn leeftijd, maar dan zonder rimpels. Ik vroeg,

'Vindt u uw werk een beetje leuk?'

'Het is het werk Gods.'

Net goed, moet ik maar niet van die stomme vragen stellen. Ik liep verder richting Edward Square. Ik ging bij Dunnes naar binnen en zag daar minstens zes overhemden die ik niet kon betalen. Verder maar weer, naar Planter. Een grote zaak. Vroeger was hier een parkeerterrein. Ik vroeg de receptioniste of ik meneer Ford te spreken kon krijgen. Ze vroeg,

'Heeft u een afspraak?'

'Nee.'

'Dan wordt het moeilijk.'

Maar het was gemakkelijker dan ze dacht. Toen ze zijn kantoor belde, bleek hij meteen bereid me te woord te staan. Ik nam de lift naar de vijfde verdieping. Een bescheiden ingericht kantoor. Hij zat te bellen en maakte een uitnodigend gebaar in de richting van een stoel. Hij was klein van postuur. Kaal. Hij droeg een Armani-kostuum. Hij straalde een soort beheerste energie uit. Hij legde de hoorn neer en wendde zich tot mij. Ik zei,

'Bedankt dat u even tijd voor me heeft. Ik ben Jack Taylor.'

Hij glimlachte even. Kleine, gele tanden. Een flitsend pak en dan zo'n rotgebit. Zijn glimlach had niets vriendelijks. Hij zei,

'U noemt uw naam op een manier alsof ik moet

weten wie u bent, maar uw naam zegt me helemaal niets.'

Ik kon ook glimlachen. Ik gunde hem een blik op de ultieme werking van mijn Ultra-Brite en zei,

'Ik ben bezig met het onderzoek naar de dood van Sarah Henderson.'

'Bent u van de politie?'

'Nee.'

'Bent u officieel bij het onderzoek betrokken?'

'Helemaal niet.'

Leuk, zo'n koekje van eigen deeg. Het boemerang-effect. Hij zei,

'Dus als ik het goed begrijp, ben ik helemaal niet verplicht om met u te praten?'

'Het is alleen maar een kwestie van fatsoen.'

Hij kwam achter zijn bureau vandaan, corrigeerde even de messcherpe vouw in zijn broekspijpen en ging op de rand van het bureau zitten. Zijn voeten raakten net niet de vloer. Hij droeg Bally-schoenen. O, ik weet toch zo precies wat ik niet kan betalen. Geruite wollen sokken. Chic patroontje. Hij zei,

'Er is geen enkele reden om u te vragen hier nog langer te blijven.'

Ik besefte dat hier iemand aan het woord was die zichzelf graag hoorde praten. Ik zei,

'Kijkt u ervan op als ik u vertel dat er behalve Sarah Henderson nog twee meisjes die hier werkten zijn overleden?'

Hij sloeg zich op zijn knie en zei,

'Heeft u enig idee van het personeelsverloop dat we hier hebben? Het zou me verbazen als al onze ex-werknemers het eeuwige leven hadden.'

‘Kende u het meisje van gezicht?’

Toen ik hem hoorde lachen, drong – voor het eerst van mijn leven – de volle betekenis van het woord ‘sardonisch’ tot me door. Hij zei,

‘Dat betwijfel ik ten zeerste.’

‘Kunt u dat voor me nagaan? U zou er haar moeder een grote dienst mee bewijzen.’

Hij liet zich met een sprongetje van het bureau zakken en liep naar de intercom. Hij zei,

‘Juffrouw Lee, mag ik even het dossier van Sarah Henderson?’

Hij ging weer zitten. Hij maakte een volkomen ontspannen indruk. Ik zei,

‘Daar kijk ik van op.’

‘Waarvan? Dat we hier een intercom hebben?’

‘Nee, dat u zich de naam van het meisje meteen herinnerde.’

‘Daarom zit ik hier ook in een pak van drieduizend pond en draagt u iets uit de opruiming van vorig jaar.’

De secretaresse kwam binnen met een dunne map. Ford pakte zijn bril, een pince-nez natuurlijk. Een paar keer zei hij,

Mmmm... mm...
Hmm... hm...
Aha....

En sloeg toen de map weer dicht. Hij zei,

‘Dat meisje voldeed niet.’

‘Hoe bedoelt u?’

‘Ze was werkschuw. We hebben haar moeten ontslaan.’

‘Is dat alles?’

‘Ik ben bang van wel. Ze was minder geschikt, zoals we dat intern noemen. Ze had hier hoe dan ook geen toekomst.’

Ik ging staan en zei,

‘Daar heeft u volkomen gelijk in. Ze heeft helemaal geen toekomst meer.’

... maar bekrompen burgers denken algauw
dat ze de grenzen van hun ellende bereikt hebben.

Sutton logeerde in de Skeffington Arms. Het was, net als alle andere hotels in Galway, onlangs gerenoveerd. Op iedere vierkante meter verrijzen hier tegenwoordig 'luxueuze appartementen'.

Ik trof Sutton aan de bar, waar hij een pint Guinness zat te koesteren. Ik voelde meteen inspiratie en zei,

'Aha.'

Hij reageerde niet, maar keek minzaam knikkend naar mijn verwondingen, die inmiddels amper merkbare tekenen van genezing begonnen te vertonen. Ik ging naast hem op een kruk zitten en gebaarde naar de barman voor nog twee pints. Ik zei,

'Kun je je Cora nog herinneren?'

Hij schudde ontkennend zijn hoofd en zei,

'Je weet toch dat ik niet uit Galway kom.'

De pints kwamen en ik zocht naar geld, maar Sutton zei,

'Zet maar op m'n rekening.'

'Heb je hier een rekening?'

'Dat gaat zo als je kunstenaar bent... ook al zit deze kunstenaar momenteel in zak en as.'

Het leek me het beste om de koe meteen bij de horens te vatten en zei,

'Die aanslag op mij en die brand bij jou... ik geloofde eerst niet dat daar een verband tussen was. Of dat het verband hield met iets anders.'

'En nu?'

'Volgens mij is het opzet. Het... het spijt me...'

'Mij ook.'

Het bleef een hele tijd stil. Ten slotte zei hij,

'Steek van wal.'

Dat deed ik.

Het duurde langer dan ik had gedacht. De rekening werd steeds hoger. Toen ik hem alles had verteld, zei hij,

'De schoften.'

'Erger dan schoften.'

'Kun je iets bewijzen?'

'Niets.'

Ik vertelde hem over het bewakingsbedrijf Green Guard. Ik zei,

'Daar hebben ze politiemensen in dienst.'

'Klopt. En je denkt nu dat... wat?'

'Ik wil weten of de twee die mij te grazen hebben genomen ook bij Green Guard werken.'

'En dan?'

'Wraak nemen.'

'Prima idee. Ik doe mee.'

'Ik wil ook met die Planter gaan praten. Volgens mij heeft hij, of Ford, dat meisje vermoord. Ik wil weten hoe en waarom.'

'Planter is steenrijk.'

'Zeker weten.'

'Zal het wel hoog in de bol hebben.'

'Dat zal best.'

Hij nam een flinke slok. De schuimkraag liet een witte snor op zijn bovenlip achter. Hij vroeg,

'Denk je dat hij van schilderkunst houdt?'

'Ik vermoed van wel.'

'Laat het dan maar aan mij over.'

'Prima.'

'Gaan we eerst wat eten of zuipen we ons gewoon te pletter?'

'Te pletter zuipen... klinkt beter.'

'Ober!'

... dagelijks terugkerende angsten...
De werkelijkheid is onontkoombaar
En ieder uur brengt
Nieuwe littekens.

De volgende dag ging ik dood. Dit was niet zomaar een kater van dertien in een dozijn, dit was het echte werk. Zo eentje waarbij iedere vezel in je lijf SCHIET ME DOOD! schreeuwt.

Ik kwam tegen de middag weer bij m'n positieven. Wat er de vorige middag voor vier uur was gebeurd, stond me allemaal nog helder voor de geest, maar de rest was ik straal vergeten. Ik weet nog dat Sutton en ik bij O'Neachtain terechtkwamen.

Nu en dan een flashback van

Een linedance met een groep Noren
Armworstelen met de uitsmijter
Een dubbele Jack Daniels.

Mijn kleren lagen op een hoop bij het raam. Onder een stoel lagen de resten van een afhaalmaaltijd. Ik trapte op een paar frieten en op iets wat nog het meest leek op een groen uitgeslagen kippenvleugel.

Godverdegodver!

Ik moest serieus overgeven. Overgeven is voor mij net zoiets als een ochtendgebed: ik zit geknield voor de wc-pot.

Twyfords!
Een Twyfords-wc
Gaat een leven lang mee.

Toen ik me ten slotte helemaal leeg had gekotst, schakelde mijn lichaam over op ritmische, krampachtige kokhalsbewegingen. Ik had het gevoel dat mijn ingewanden via mijn thorax naar buiten werden gezogen. Thorax. Mooi woord. Geeft het een zekere medische afstandelijkheid.

Ik had vreselijke nadorst. Jezus, ik snakte naar een

pint. Maar als ik daaraan toegaf, zou ik nog meer dagen verklooien. Dat kon niet, want ik moest wraak nemen en schurken vangen. Met bevende handen probeerde ik een joint te rollen. Sutton had me een beetje shit gegeven. Hij zei,

'Dit spul komt uit het Atlasgebergte. Echt heftig. Voorzichtig mee zijn.'

Het lukte me niet om een fatsoenlijke joint te rollen. Ik liep naar de kast en vond daar een oudbakken kersenmuffin. Ik schraapte het binnenste eruit. Ik deed de hasj in aluminiumfolie en maakte het warm, waarna ik het in de muffin goot. Toen de hele zooi in de magnetron. Hoogste stand.

Het resultaat was niet om aan te zien. Toen het was afgekoeld, nam ik een hap. Het smaakte niet slecht. Ik spoelde de rest met voorzichtige slokjes water weg.

Ik leunde achterover, in afwachting van wat komen ging.

De ruimte in.

Ze noemen het niet voor niets 'spacecake'. Geloof me, ik weet waar ik het over heb.

Ik kreeg een aangenaam diep gevoel. In gedachten liep ik door de velden van Elysium. Ik zei hardop – of toch weer niet? – 'Ik hou van het leven.'

Dat geeft nog het beste aan hoe ik me voelde. Een tijdje later begon ik trek in eten te krijgen. Mijn blik viel op het groene stukje kip. Gelukkig was er na mijn slemppartijen van de laatste tijd nog een bevroren pizza over, en begon ik daar maar aan. Halverwege viel ik in slaap. Zes uur lang van de kaart. Ik weet niet of ik gedroomd heb, maar als dat wel zo was, moet dat over 'Hotel California' geweest zijn.

Toen ik weer bij mijn positieven kwam, was mijn kater een stuk minder. Nog niet helemaal weg, maar in elk geval niet meer het krijsende monster van daarvoor. Ik nam een douche en schoor me héél voorzichtig, waarna ik naar mijn plank met video's liep. Het zijn er niet veel, maar de films die ik belangrijk vind, staan er allemaal bij:

Paris, Texas
Once Upon a Time in the West
Sunset Boulevard
Double Indemnity
Cutter's Way
Dog Soldiers

Cutter en Bone is de titel van een boek van Newton Thornburg uit 1976. De drie hoofdpersonen zijn menselijke wrakken die op een of andere manier de jaren zestig hebben overleefd en nu samen in één huis wonen. Cutter is een waanzinnig geworden, kreupele Vietnamveteraan. De dienstweigeraar Bone is een drop-out. Mo, een ongehuwde moeder, heeft pleinvrees en is zwaar aan de drank. Met z'n drieën onderzoeken ze de moord op een jong hoertje. Ze jagen de verkeerde mensen tegen zich in het harnas en Mo en haar kindje komen om.

Cutter en Bone achtervolgen een rijke stinkerd die volgens hen verantwoordelijk is voor de moorden. Volgens Bone is Cutter

> *woest en onbezonnen, het slachtoffer van zijn eigen wanhoop. Het was uitgesloten dat hij, om het even op welk idee of in welke situatie, anders zou reageren dan door te lachen. Zijn*

geest was een zaal vol lachspiegels, waarin het ene vertekende beeld het andere weerkaatste.

Cutter heeft twee drijfveren:

Wanhoop

Cynisme.

Robert Stone schreef *Dog Soldiers* in 1973. De filmbewerking van Karl Reisz dateert uit 1978.

Ook hier zijn de drie hoofdpersonen behoorlijk naar de kloten.

Marge is verslaafd aan medicijnen. John Converse, haar man, is oorlogscorrespondent en Hicks is een drugssmokkelaar. John Converse verraadt zijn vriend aan de autoriteiten en beseft dan hoe belangrijk vrees voor hem is. In moreel opzicht vormt vrees de basis van zijn hele bestaan. Ik ben bang, dus besta ik.

Hicks wordt door allerlei boeven en de narcoticabrigade op de hielen gezeten. Aan het eind sterft hij in een grot waar ooit hippies hebben gewoond. Op de muur staat met grote letters

BEELDSPRAAK BESTAAT NIET.

Ik bekeek deze films achter elkaar en voelde me zoals ik me al mijn hele leven voel... klote.

"Ik kwam langs een deur waarachter een man
met een ouderwets zoot suit
en een witte Stetson te zien was.
Terwijl ik passeerde, namen we elkaar op
zoals twee behoedzame hagedissen kunnen staren
wanneer ze over een kale rots glijden."

Walter Mosley, *De Witte Vlinder*

Het is elf uur 's ochtends. Ik zit op een bank in Eyre Square. De wind speelt met het afval van zondagnacht. Om vier uur breekt hier de pleuris uit. In de uren voor zonsopgang verandert Eyre Square in een slagveld. Sluitingstijd: de nachtclubs en de hamburgertenten braken mensenmassa's uit.

Dan beginnen de vechtpartijen en de rellen.

Aan het eind van het plein staat een standbeeld van Pádraic Ó Conaire. Ze hebben het hoofd eraf geslagen. Twee jaar geleden, met kerst, heeft een vandaal de kerststal in de fik gestoken.

Bij de toiletten is een jongen vermoord.

De stad als roofdier.

Vooruitgang, m'n reet!

Ik had een beduimeld exemplaar van de autobiografie van Richard Fariña bij me. *Been Down So Long It Seems Like Up To Me* is de titel. Het heeft een verschoten groen omslag. Ik heb genoeg boeken voor een boekverbranding, net als Robert Ginty in The Exterminator. Richard Fariña was de zwager van Joan Baez. Hij had alles in zich om een goede schrijver te worden, maar de drugs gooiden roet in het eten. Er verschijnt een lijstje in mijn hoofd:

Jarrell
Pavese
Plath

Jarrell sprong van een cruiseschip in de Caraïbische Zee

en

Gustave Flaubert (1849) schreef

Terwijl mijn lichaam ouder wordt,
keren mijn gedachten terug naar het verleden
en begraven zich in een voorbije tijd.

Ik hef, half mompelend, een Ierse klaagzang aan,
'*Och, ochon.*'

Er komt een New Age-type aanlopen. Ze gaat aan de andere kant van mijn bank zitten. Ik drink cappuccino uit een piepschuimen bekertje.

Zonder cacaopoeder. Die troep hoef ik niet.

Het New-Age-meisje is half in de twintig. Overal

Armbanden
Enkelbanden
Halskettingen.

Ze zegt,
'Van cafeïne ga je dood.'

Het lijkt me niet nodig daarop te reageren. Ze zegt,
'Hoor je wat ik zeg?'

'Ja, nou en?'

Ze schuift een stukje dichterbij en vraagt,
'Vanwaar die negatieve uitstraling?'

Ik zit middenin een wolk patchouli. Ik heb genoeg van het hippiegedoe en zeg,
'Rot op.'

'Nu merk ik echt vijandige vibes.'

Mijn koffie is ondertussen koud geworden en ik zet het bekertje neer. Ze vraagt,
'Lag er vroeger rode vloerbedekking bij je thuis?'

'Wat?'

'Volgens Feng Shui worden kinderen daar agressief van.'

'Er lag zeil. Bruin, kotsbruin om precies te zijn. Het lag er al toen we er kwamen wonen.'

'O.'

Ik ga staan. Op dat moment roept ze,

'Waar was jij toen John werd vermoord?'

'In bed.'

'De Walrus is onsterfelijk.'

'Het idee alleen al.'

En ik maak dat ik wegkom. Als ik omkijk zie ik dat ze mijn cappuccinobekertje leeg zit te drinken.

Ik moet vreselijk pissen en verzamel de moed om het openbare toilet te gaan gebruiken. Een kleine groep drinkers heeft de ruimte tijdelijk in gebruik genomen. Het openbare toilet is berucht sinds de tijd dat daar een pedofielennetwerk opereerde. De leider van het groepje roept,

'Wil je ook wat?'

Het antwoord ligt voor de hand, maar ik zeg,

'Nee, maar bedankt voor het aanbod.'

Mijn sollicitatiegesprek bij Green Guard is pas om halfeen, zodat ik nog wat tijd over heb. Ik werp een blik op mezelf in de spiegel. Mijn haar steekt alle kanten op. Bij de uitgang draai ik me om en zeg,

'Hou je haaks.'

De drinkers antwoorden in koor

'Het beste, m'neer.'

In een zijstraatje van Quay Street valt mijn oog op een ouderwetse kapperszaak. Ik kijk op mijn horloge, heb ik nog tijd... vooruit maar.

Er zijn geen klanten. Een man van tegen de dertig legt *The Sun* weg en zegt,

'Alles kits?'
'Gaat wel, dank je.'
Zijn Engelse accent was me niet ontgaan. Ik vroeg,
'Zat hier vroeger geen kapper Healy?'
'Pardon?'
Hij zei nog net geen 'm'neer' tegen me, maar ik voelde dat dat elk moment kon gebeuren. Ik zei,
'De nummers weet ik niet uit m'n hoofd, maar ik denk dat ik maar eens een nummer drie neem.'
'Zeker weten?'
'Beckham had nummer één, maar zo kort hoeft het nu ook weer niet.'
Hij gebaarde naar de stoel en ik ging zitten. Ik probeerde mijn spiegelbeeld zoveel mogelijk te vermijden. Ik vroeg,
'Kom je uit Londen?'
'Highbury.'
Ik wilde zeggen 'een van de meest bekakte buurten van Londen', maar in plaats daarvan hield ik het op,
'Lekker weertje.'
De muziek stond keihard. De kapper zei,
'Dat is Joy Division. 'Unknown Pleasures', uit 1979.'
Het klonk niet gek. De krankzinnige combinatie van elegantie en razernij werkte als balsem op mijn verlepte gevoelsleven. Ik zei,
'Best aardig.'
'Zeker weten, toffe sound. Weet je dat het al twintig jaar geleden is dat Ian Curtis een fles whisky leegdronk, naar een film van Werner Herzog op de tv keek en een plaat van de Stooges opzette...'

Hij zweeg even. De clou zat er aan te komen, en ik kende de trieste afloop van het verhaal. Maar ik speelde het spelletje mee en vroeg,

'En toen?'

'Toen ging-ie naar de keuken en verhing zich aan de kapstok.'

'Jezus!'

Hij onderbrak zijn werk even en sloeg zijn ogen neer. Een ogenblik van stilte. Ik vroeg,

'Waarom?'

'Weet ik niet. Zijn huwelijk liep stuk en hij had een vriendin. Hij had problemen met z'n gezondheid, en hij had geen greep meer op het succes van de groep... gel?'

'Wat raad je me aan?'

'Doe maar.'

'Oké.'

Hij smeerde de gel op m'n hoofd.

Toen ik wegging, gaf ik hem een behoorlijke fooi. Hij zei,

'Nou, bedankt zeg.'

'Jij ook bedankt.'

Ik had 's morgens vroeg naar het bewakingsbedrijf gebeld. Ik had een valse naam opgegeven en gezegd dat ik een baan zocht. Ze vroegen,

'Heeft u ervaring?'

'Ik heb in het leger gezeten.'

'Heel goed.'

Ik was benieuwd of iemand van het personeel me zou herkennen. Als ik eenmaal binnen was, zou ik wel zien hoe het verder liep. In het ergste geval zou ik een baan aangeboden kunnen krijgen.

Onderweg liep ik bij Zhivago Records naar binnen. De bedrijfsleider, Declan, behoorde tot een steeds zeldzamer wordend ras, dat van geboren en getogen Galwaynaren. Hij zei,

'Gaat-ie?'

'Lekker.'

'Jezus, wat is er met je haar gebeurd?'

'Ik heb voor de verandering een nummer drie genomen.'

'Afschuwelijk. Wat heb je erop laten smeren?'

'Gel.'

'Ze zullen wel gedacht hebben dat...'

'Laat de prietpraat maar zitten. Ik wilde trouwens een cd kopen.'

'Zo, heeft meneer een rotbui? En wat zocht je?'

'Joy Division.'

Hij schoot in de lach.

'Wil jij...?'

'Jezus, wil je me nou een plaat verkopen of niet?'

'Het verzamelalbum... ik neem aan dat je dat bedoelt.'

'Prima.'

Hij deed nog een paar pond van de prijs af, zodat ik hem zijn lolletje van harte gunde. Toen ik weer buiten stond, haalde ik diep adem en zei,

'De voorstelling kan beginnen.'

"Linda legde haar hand op zijn arm. 'Je weet dat je dit niet hoeft te doen.'
Hij draaide zich om en keek haar een beetje verbaasd aan.
'We willen weten wat er verder gaat gebeuren, of niet soms?'
'Dat was ik even vergeten,' zei Linda.
'Je gebruikt me.
Ik ben een idee voor een film.'
Chili zei: 'We gebruiken elkaar.'"

Elmore Leonard, *Cool*

Het kantoor van de beveiligingsdienst was in Lower Abbeygate Street. Ik ging naar binnen. Een receptioniste vroeg of ik even wilde wachten. Ze zei,

'Meneer Reynolds is nog even bezig.'

Ik zat amper toen ze me riep. Toen ik het kantoor binnenkwam, reageerde de man achter het bureau geschrokken. Ik wierp een blik op zijn handen. De knokkels vertoonden schaafwonden en blauwe plekken. We staarden elkaar aan. Ik zei,

'Verrassing!'

De man kwam overeind. Het viel me op dat hij groot en gespierd was. Hij zei,

'We hebben momenteel geen vacatures.'

'Jammer. Ik had belangstelling voor de functie van huurmoordenaar.'

'Ik begrijp niet wat u bedoelt.'

Ik stak mijn verbonden vingers omhoog en zei,

'Fraai stukje werk.'

Hij maakte aanstalten om achter het bureau vandaan te komen. Ik zei,

'Ik kom er zelf wel uit.'

De receptioniste glimlachte verlegen naar me en zei,

'En... hadden ze werk voor u?'

'Nee, ze hadden de klus zelf al geklaard.'

Toen ik weer buiten stond, haalde ik diep adem. Het was nu dus duidelijk dat er een verband bestond, maar wat schoot ik daarmee op? Ik belde Sutton om hem het nieuws te vertellen. Hij zei,

'Dan zitten we aardig in de richting.'

'Waarheen?'

'Naar de hel, zou ik zeggen.'

'Dan zijn we in elk geval op bekend terrein.'

Die avond zat ik thuis. Ik nam alle tijd om de zes blikjes bier die ik had gekocht leeg te drinken. Er werd gebeld. Ik deed open. Linda, de bankbediende en huurster van de bovenverdieping, stond op de stoep. Toen ze me zag, reageerde ze met,

'Grote genade! Wat is er met jou gebeurd?'

'Een paar schrammen, meer niet.'

'Je zult wel dronken geweest zijn.'

'Heb je iets nodig?'

'Ik geef vanavond een feestje voor een paar vrienden.'

'En daar nodig je mij nu voor uit?'

'Eh... ja, maar er zijn een paar regels.'

'Ik kom in ieder geval.'

Ik deed de deur dicht. Ik had net een nieuw blikje bier opengetrokken toen er weer gebeld werd. Daar gaat m'n feestje, dacht ik toen ik opendeed. Het was Ann Henderson. Ik zei,

'O.'

'Volgens mij verwachtte je iemand anders.'

'Nee, ik bedoel... kom binnen.'

Ze had een paar boodschappentassen bij zich. Ze zei,

'Ik dacht dat je wel behoefte zou hebben aan een stevige maaltijd. Nee! Ik wíst het gewoon. Maar eerst een colada.'

'Pina colada?'

Ze keek me bijna minachtend aan en zei,

'De hoogste dosis cafeïne met suiker in een borrelglas.'

'Kun je met whiskey niet hetzelfde bereiken?'

Weer die blik.

Ze had de keuken ontdekt. Niet moeilijk, want er zijn maar twee andere kamers. De adem stokte in haar keel. Ik hoorde haar zeggen,

'O... mijn... god!'

'Sorry. Ik had niet veel tijd om schoon te maken.'

'Kom hier. Ik maak de wijn open.'

Ik liep de keuken binnen.

Ze was al bezig met de tassen uitpakken. Ze zocht tussen een aantal potjes en vroeg,

'Hou je van spaghetti?'

'Waarom niet?'

'Als avondeten?'

'Ben ik gek op.'

Nadat ze de wijn had ingeschonken, zei ze dat ik weg moest uit de keuken. Ik ging in de woonkamer zitten en dronk mijn blikje bier leeg. Ik had eigenlijk geen zin om verder te gaan met wijn, maar ik dacht 'het maakt toch geen moer uit', wat in feite de verkorte versie is van een gebed om Innerlijke Vrede.

Een half uur later zaten we aan tafel. Voor ons stond een berg eten. Ze vroeg,

'Zullen we bidden?'

'Kan nooit kwaad.'

'Here, zegen deze spijs en drank. Amen.'

Ik knikte instemmend.

Ik probeerde zo netjes mogelijk te eten. Ze schudde haar hoofd en zei,

'Jack, je kunt spaghetti niet op een fatsoenlijke manier eten. Je moet het gewoon uit je mond laten druipen, dat doen de Italianen ook.'

Ik geef het niet graag toe, maar ik vond het prettig dat ze mijn naam noemde. Ik gooide alle omzichtigheid overboord en begon als een bezetene te schransen. Ze keek naar me en zei,

'Ik was vergeten hoe fijn het is om een man te zien eten.'

Zelfs de wijn was van redelijke kwaliteit. Ik zei,

'Zin in een feestje?'

'Wat zei je?'

'Boven... m'n buurvrouw... ze moet niks van mij hebben, maar ik denk dat ze op zal kijken als ze jou ziet.'

'Waarom?'

'Omdat je een bijzonder iemand bent.'

Ze stond op en vroeg,

'Toetje?'

'Nee... ik zit barstensvol.'

Ik had een grijze sporttrui aan waar met grote letters AYLON op stond. De W was in de loop van de tijd door het wassen verdwenen. Verder droeg ik een versleten zwarte curduroybroek en een paar lage schoenen van het merk Dubarry. Ik leek op een wandelende reclame. Voor retro-C&A, wel te verstaan.

Ann droeg een rode trui zonder logo, een gebleekte spijkerbroek en een paar lichte Reeboks. We zouden zo in een reclame voor goedkope leningen kunnen optreden. Maar dat zei ik niet. Ze zei,

'We zijn er niet echt op gekleed om naar een feestje te gaan. Of vind jij van wel?'

'Als het maar lekker zit. Ze zullen vast denken dat we een ontspannen oud stel zijn.'

Daar werd ze verdrietig van. Ik deed wat men altijd in zulke gevallen doet en vroeg,

'Nog wat drinken?'

'Waarom drink je toch zoveel, Jack?'

Ik voelde dat ik mijn greep op de gebeurtenissen begon te verliezen. Ik liep naar mijn boekenkast, haalde er een boek uit, bladerde even tot ik de beduimelde passage had gevonden, gaf het aan haar en zei,

'Lees dit eens.'

Ze las het.

> *Het is altijd hetzelfde. Als je weer tot jezelf komt en om je heen kijkt, dan schrik je meer van de wonden die je hebt geslagen bij mensen die om je geven dan van wat je jezelf hebt aangedaan. Hoewel ik vrijwel geen spijt of wroeging heb van wat ik ooit gedaan heb, ligt er mogelijk toch iets van die gevoelens in dat bewustzijn. Het zou voldoende moeten zijn om je ervan te weerhouden het ooit nog een keer te doen, maar dat is het vrijwel nooit.*

Anthony Loyd, *Mijn Voorbije Oorlog, Ik Mis Hem Zo.*

Ik liep naar de badkamer en controleerde hoe mijn Nummer Drie er ondertussen uitzag. De gel was geklonterd. Ik overwoog of ik nog even snel mijn haar zou wassen, maar dacht 'laat maar zitten'. Toen ik weer terugkwam, had Ann het boek opzij gelegd. Ze zei,

'Wat triest.'

'Maakt het je iets duidelijk?'

'Geen idee.'

Ik had geen zin om hier verder op in te gaan en zei dus maar,

'Laten we naar het feest gaan.'

'Moeten we niet iets meebrengen?'

'Hebben we nog een fles wijn over?'

'Oké.'

We liepen zonder een woord te zeggen de trap op. Toen we bij Linda voor de deur stonden, hoorden we muziek. Het klonk als James Taylor. Geen al te best voorteken. Ik klopte aan.

Linda deed de deur open. Ze had een lange, nauwsluitende jurk aan. Ik zei,

'Ik heb een vriendin meegebracht.'

Linda aarzelde heel even en zei toen,

'Leuk. Kom binnen.'

Zo gezegd, zo gedaan.

Iedereen was tot in de puntjes gekleed. De vrouwen droegen lange jurken en de mannen hadden kostuums aan. Wij leken op twee uitzendkrachten die moesten helpen met de bediening. Ann zei,

'O, o.'

Ik stelde Linda aan Ann voor. Ze namen elkaar koeltjes op. Linda vroeg,

'Wat doe jij voor werk, Ann?'

'Ik maak kantoren schoon.'

'Juist.'

Langs de muur was een bar ingericht. Compleet met een barman. Hij droeg een gilet en een strikje. Ik pakte Anns hand en zei tegen Linda,

'We praten straks verder.'

De barman zei,

'Goedenavond samen. Wat kan ik voor jullie betekenen?'

Ann nam witte wijn. Ik deed net of ik nog even nadacht en zei toen,

'Doe mij maar een dubbele tequila.'

Ann zuchtte. Volgens mij zuchtte de barman ook, maar dan op een nauwelijks merkbare manier. Hij vroeg,

'Zout en citroen?'

'Nee, laat die troep maar zitten.'

Een zwaar, bewerkt glas. Tot mijn grote vreugde zag ik dat er aan de onderkant een van die lastig te verwijderen plakkertjes zat, waarop stond:

Roches

£ 4.99

Een van de kostuums kwam op Ann af en begon zijn sociale vaardigheden te demonstreren. Toen ik erbij ging staan, zei hij net,

'Voordat ik van huis ging, zag ik op Sky News dat ze in Noordwest-Londen een man hadden gevonden die aan een kruis was genageld.'

'Getver!'

De kerel raakte Anns arm even aan en zei,

'Niets om je druk over te maken. Volgens het journaal waren zijn verwondingen niet levensbedreigend.'

Ik zei, 'Maar ook niet bepaald levensbevorderend.'

Linda kwam met een lange kerel aanlopen. Ze zei,

'Jack, ik wil je graag aan Johan voorstellen. Hij is mijn verloofde.'

‘Gefeliciteerd.’
Johan nam me nauwkeurig op en vroeg,
‘Wat doe jij voor werk, Jacques?’
‘Ik heet Jack. Ik ben werkloos.’
Linda glimlachte zuinigjes en zei,
‘Johan komt uit Rotterdam. Hij is programmeur.’
‘Komt dat even mooi uit. Mijn tv is stuk.’

Kwaadaardig met een Galways tintje

Ann was aan haar derde glas wijn bezig. Dat hield ik bij. Die van haar, tenminste. Bij de mijne was ik de tel ondertussen kwijtgeraakt. Ik dronk nog steeds tequila. John Wayne zei altijd dat hij van tequila pijn in zijn rug kreeg. Iedere keer dat hij tequila dronk, lazerde hij van z'n barkruk.

Linda kwam aanlopen. Ze vroeg,

'Kan ik even met je praten?'

'Ga je gang.'

'Graag onder vier ogen.'

De muziek was steeds harder gaan spelen. Het leek verdacht veel op een technoversie van Gary Numan. Zo erg dus. Linda liep met me naar haar slaapkamer. Ze deed de deur dicht. Ik zei,

'Ik ben helaas al bezet.'

Ze negeerde mijn opmerking en ging op het bed zitten. De hele kamer lag bezaaid met knuffelbeesten,

Roze beren
Roze kikkers
Roze tijgers.

Tenminste, dat is de kleur die ik me herinner. Ik had er op dat moment geen behoefte aan om ze nauwkeuriger te bekijken. Linda zei,

'Het zal je niet zijn ontgaan dat ik bij de bank aardig carrière maak.'

'Dat is prima... toch?'

'Natuurlijk. Ze hebben zelfs aangeboden om me te helpen bij het kopen van een huis.'

'Mooier kan niet, Linda.'

'Dit huis.'

'O.'

'Ik ga het grondig verbouwen.'

'Geen probleem. Ik ben toch de hele dag weg.'

'Jack... ik moet je helaas vragen om hier te vertrekken.'

Heel even kwam de bizarre gedachte in me op dat ze wilde dat ik haar slaapkamer zou verlaten. Toen het tot me doordrong wat ze bedoelde, zei ik,

'Ik heb een huurcontract. Mijn rechten liggen vast. Je kunt me niet zomaar op straat zetten.'

Maar kennelijk dacht zij van wel.

De mededeling dat je je huis uit moet, komt voor de meeste mensen als een schok. Je gedachten slaan vaak op hol. Ik moest aan vuurwapens denken. Althans, aan één bepaald vuurwapen. Ik zei,

'Wist je dat sommige speciale Garda-eenheden een nieuw pistool krijgen? En niet zomaar een pistool, maar de Rolls Royce onder de vuurwapens?'

'Wat zei je?'

'Dat is de Sig Sauer P-226. De hele mobiele eenheid wordt er mee uitgerust.'

'Waar heb je het in godsnaam over?'

'Van Zwitserse makelij. Dan praat je dus over precisie. De Zwitsers zijn altijd neutraal geweest en hadden dus tijd genoeg om een behoorlijk wapen te ontwerpen. Zie jij de moraal van dit verhaal?'

'Jack... ik meen het. Je moet op zoek naar een andere woning.'

'Jij werkt bij een bank. Jij gaat natuurlijk de Zwitsers niet lopen afzeiken.'

Ze ging staan en zei,

'Ik moet weer terug naar het feest.'

‘Ze kosten 700 pond per stuk. Ik denk niet dat ze er geld van de staatsloterij voor krijgen.’

Ze stond bij de deur van de slaapkamer en zei,

‘Kom mee, Jack.’

‘Nee, ik blijf hier zitten. Ik wil even nadenken over vuurwapens.’

Ze vertrok.

Het leek me geen goed idee om bij Sutton in de Skeffington Arms in te trekken. Misschien was dit wel het moment om naar Londen te verkassen. Er werd op de deur geklopt. Ik zei,

‘Ja?’

Ann kwam binnen en vroeg,

‘Wat ben je aan het doen, Jack?’

‘Ik zit met roze teddyberen te praten.’

‘Geen goed teken.’

‘Nee, maar voor wie? Voor *mij*... of voor de teddyberen?’

‘Linda keek heel ernstig toen ze terugkwam. Wat is er gebeurd?’

‘We hebben over vuurwapens zitten praten.’

‘Vuurwapens?’

Toen we weer terug in mijn appartement waren, zei Ann,

‘Ik voel me een beetje aangeschoten.’

‘Zullen we doorgaan?’

‘Asjeblieft zeg, nee.’

Er viel een akelige stilte. Ik wist niet wat ik moest doen. Ze zei,

‘Wil je me zoenen?’

Ik zoende haar, maar het ging me niet goed af. Ze zei,

‘Dat stelde niet veel voor. Probeer het nog eens.’

Het ging steeds beter.

Even later lagen we in bed. Het was fantastisch. Langzaam, vreemd, opwindend. Na afloop zei ze,

‘De laatste keer was heel lang geleden.’

‘Voor mij ook.’

‘Echt waar?’

‘Ja.’

Er klonk een lichte aarzeling in haar stem toen ze zei,

‘Ik heb het de hele avond niet over Sarah gehad.’

‘Dat hoeft ook niet. Ik kan aan je ogen zien dat je de hele tijd aan haar denkt.’

Ze trok me dicht tegen zich aan en zei,

‘Wat zeg je dat mooi.’

Ik voelde me beter dan ik me in tijden had gevoeld. Toen vroeg ze,

‘Heb je ooit echt van iemand gehouden?’

‘Toen ik nog bij de politie was, kende ik een vrouw. Ze gaf me het gevoel dat ik meer was dan ik ben.’

‘Dat moet een fijn gevoel geweest zijn.’

‘Maar ik heb het allemaal verkloot.’

‘Waarom?’

‘Omdat dat het enige is waar ik goed in ben.’

‘Dat is geen antwoord.’

‘Ik kan ook zeggen dat het door de drank kwam, maar dat was niet zo. Ergens in mij zit een knop. Als ik erop druk, gaat er een mechanisme werken waarmee ik mezelf vernietig. Ik kan niet van die knop afblijven.’

‘Maar je kunt toch veranderen.’

‘Ik weet niet of ik dat wel wil.’

Na deze sombere woorden vielen we in slaap.

Toen ik wakker werd, was ze vertrokken. Op het kussen vond ik een briefje,

Lieve Jack,
Je bent een schat van een man. Probeer asjeblieft om wat er tussen ons is niet te verkloten. Dat zou ik heel erg vinden.
Xxxxxxxxxxxxxxxxxx
Ann.

Ik voelde me opeens erg onzeker. Wat had ik me nu weer op de hals gehaald?

Een geweten
vol
dromen van anderen

Het was nooit mijn bedoeling geweest om hem te doden.

De uitdrukking 'Het liep een beetje uit de hand', die je tegenwoordig vaak hoort, zou eigenlijk verboden moeten worden. Het wordt als excuus voor van alles en nog wat gebruikt, van

Vrouwenmishandeling
tot
Rijden onder invloed.

Maar het was dus uit de hand gelopen. Wat puur als een oefening in *intimidatie* was begonnen, eindigde met een moord. Van het een kwam het ander. Dat ging als volgt.

Op de dag nadat Ann bij mij had vertoefd, zou ik met Sutton gaan praten. 'Vertoeven' is een heerlijk woord, het roept beelden op die met verre reizen en cultuur te maken hebben. Ik voelde me dus prima, ik voelde me sterk en volledig op mijn taak berekend. Ik sprak met Sutton af dat hij me bij de Seapoint op zou komen halen. De Seapoint is een grote danszaal die als een schildwacht de weg naar Salthill bewaakt.

Ik had daar, in de tweede helft van de jaren zestig, leren dansen op de muziek van de bands die er speelden.

En wat voor bands!

Brendan Bowyer
The Indians
The Freshmen

Die gasten begonnen om negen uur te spelen en gingen uren aan één stuk door. En niet zo zuinig ook! Ze speelden covers tot ze er zowat bij neervielen, van

'Suspicious Minds'
tot
'If I didn't have a dime...'

Al waren de jaren zestig dan geen tijd van onschuld, het was tenminste een tijdperk vol enthousiasme.

Terwijl ik op de boulevard zat, hoorde ik in mijn hoofd het nummer 'Ghost Town' van The Specials. Het had in 1981 op nummer één gestaan en gaf precies de opstandige sfeer weer die in die tijd in Londen heerste.

Sutton kwam aanrijden in een aftandse Volvo. Ik stapte in en vroeg,

'Waar heb je die op de kop getikt?'

Het was een automaat. Hij zette hem op cruise en zei,

'In Clifden. Gekocht van een Zweed.'

Hij keek me even aan en vroeg toen,

'Wat is er anders dan anders met jou?'

'Met mij?'

'Ja, die vette grijns op je bek. Waarom is dat?'

'Grijns? Ik?'

'Ja, net of je heel erg met jezelf ingenomen bent.'

Toen sloeg hij met zijn hand op het stuur en riep,

'Nu snap ik het.... je bent plat gegaan! Smeerlap dat je bent, heb ik gelijk of niet?'

'Een kwestie van geluk hebben.'

'Heb je ooit! Die goeie ouwe Taylor. Zeg eens met wie – met die griet van die rockband, hoe heet ze ook alweer, Cathy B.?'

'Nee.'

'Laat me niet eindeloos raden. Of ben je soms naar de hoeren geweest?'

'Ann Henderson.'

'De moeder van dat dode meisje?'

'Yep.'

'Jezus, Taylor, was dat nou wel zo verstandig?'

Cathy B. was achter het adres van Ford gekomen. Toen ik dat tegen Sutton zei, vroeg hij,

'Is hij vrijgezel?'

'Ja.'

'Laten we eens bij die gozer langs gaan. Gewoon even kijken wat voor iemand het is.'

We parkeerden bij Blackrock. Achter ons staken de Salthill Towers donker af tegen de lucht. Sutton vroeg,

'Waar woont hij?'

'Op de begane grond.'

De inbraak was een fluitje van een cent. Zo'n yaleslot, dan weet je het wel. We liepen een ruime woonkamer met dure meubels binnen. Het was er erg schoon. Op een lange koffietafel lag een opengeslagen boek, maar verder niets. Ik pakte het beet om te zien wat de titel was. *Finnegans Wake*. Sutton zei,

'Alsof iemand dat gaat zitten lezen.'

We doorzochten het hele appartement grondig, maar we vonden niets. Sutton vroeg,

'Weet je zeker dat hier iemand woont?'

'Er hangen kostuums in de klerenkast. Er ligt eten in de koelkast.'

Sutton leunde tegen de muur van de woonkamer en zei,

'Moet je dat tapijt zien.'

'Duur ding, als je het mij vraagt.'

'Maar het ligt niet gelijk. Bij die lamp daar komt het iets omhoog.'

‘En?’

‘Laten we die handel maar eens even oprollen.’

Toen we het tapijt een stukje hadden opgerold, zagen we een paar losliggende vloerdelen. Sutton bukte en duwde ze opzij. Hij zei,

‘Bingo.’

En hij begon een heleboel videobanden door te geven. En een stapel tijdschriften. Eén blik was voldoende om te weten waar ze over gingen. Kinderporno. Sutton zei,

‘Leg die troep eens op tafel.’

Ik deed wat hij zei.

We bekeken twee van de videobanden. Meer van hetzelfde. Sutton vroeg,

‘En nu?’

‘Laten we wachten tot hij thuiskomt.’

We plunderden de koelkast, waarbij we een paar malse biefstukken tegenkwamen, die meteen op het vuur gingen. Rond halfzeven was ik even weggedommeld toen ik iemand een sleutel in de voordeur hoorde steken. Sutton stond recht overeind. Hij maakte een ontspannen indruk. Ford kwam binnen. Hij zag ons pas toen hij al in de woonkamer stond. Sutton was bij de deur gaan staan. Ford staarde naar de tafel en de spullen die daar lagen opgestapeld. Het was niet te zien of hij in paniek raakte; als dat zo was, wist hij het in ieder geval goed te verbergen. Hij vroeg,

‘Wat willen jullie?’

‘Inlichtingen.’

‘Juist.’

‘Vertel me wat u over Sarah Henderson en die andere meisjes weet.’

Hij ging zitten, keek naar Sutton en zei,
'Nog een ex-garda.'
'Doet het ertoe?'
'Nee, dat denk ik niet.'
'Meneer Ford, voor de draad ermee.'
'Het stelt eigenlijk niet veel voor. Meneer Planter houdt van jonge meiden. Soms gaan ze vervelend doen en wordt hij bedreigd. Tja, en dan raken ze depressief en springen ze in het water.'
Tot op dat moment was het me gelukt om kalm te blijven. Maar iets in zijn zelfingenomen houding, en de minachting in zijn stem, deden bij mij de stoppen doorslaan. Ik kwam overeind en timmerde hem op zijn gezicht. Ik trok hem overeind. Hij spuugde naar me. Ik duwde hem bij me vandaan. Hij viel en kwam met zijn hoofd keihard tegen de koffietafel terecht. Hij bleef doodstil liggen. Sutton liep naar hem toe en voelde aan zijn pols. Hij zei,
'De klootzak is dood.'
'Wát?'
'Hartstikke dood.'
'Jezuschristus.'
'We kunnen beter maken dat we wegkomen. Eerst alles schoonmaken. Vingerafdrukken en zo.'
We legden zelfs de videobanden terug waar we ze gevonden hadden. Toen we vertrokken, veegde Sutton de deurkruk schoon en zei,
'Laten we hopen dat ze denken dat hij gevallen is.'

OP BARSE TOON

Sutton bracht me naar huis. We hadden onderweg geen woord gewisseld. Nu vroeg hij,

'Zal ik even met je mee naar binnen lopen?'

'Nee.'

'Denk je dat het allemaal lukt?'

'Geen flauw idee.'

'Jack, luister... Het was een ongeluk. En dan nog, zo'n groot verlies is het nou ook weer niet. Die vent was een stuk tuig, de wereld is beter af zonder hem.'

'Ja, dat zal best. Tot ziens.'

Ik had net de voordeur open toen Linda opdook. Ze zei,

'Ha, die Jack.'

Ik reageerde niet en liep haar straal voorbij. Ik hoorde haar roepen,

'Krijg nou wat!'

Alsof het mij ene reet kon schelen. Ik nam eerst een douche. Ik schrobde mijn huid tot het pijn deed. Ik voelde nog steeds, als een brandwond, het spuug van Ford op mijn gezicht. De telefoon ging. Ik gromde,

'Wat is er?'

'Jack, met Ann.'

'Ja... wat is er?'

'Is alles goed met je?'

'Jezuschristus. Ik wou dat ze eens ophielden met dat steeds te vragen.'

Ik smeet de hoorn op de haak. Ik trok een XL-trui aan met de tekst:

DE MAN
DE LEGENDE

En een extragebleekte 501. Nog een keer wassen en dan kon ik hem weggooien. Ik voel me doorgaans lekker ontspannen als ik dit kloffie aantrek.

Maar nu niet.

Ik haalde een fles cognac tevoorschijn. Ik ben voorzichtig met cognac. Eigenlijk háát ik het spul; van cognackaters word je altijd doodziek. Ik brak het zegel. De keuken in om het glas schoon te spoelen. Het plakkertje met 'Roches, £ 4.99' zat nog steeds aan de onderkant. Ik spoelde het twee keer om om de tequilalucht kwijt te raken. Terug naar de woonkamer. De biefstuk die ik in het huis van Ford had gegeten lag als een blok in mijn maag.

Ik probeerde me al mijn voornemens met betrekking tot cognac te herinneren. Vooral de woorden van J.M. O'Neill, die schreef dat cognac eerst de luchtwegen vrijmaakt en ze dan afsluit.

Ik zei hardop,

'Ja, ja... dat zal best,' en goot de eerste naar binnen.

Oké.

Niet gek. Als er iets verkeerd ging, was dat amper te merken.

De volgende.

Bij de AA waarschuwen ze voor zelfmedelijden. 'Schenk mij rust, schenk mij vrede, schenk mij nog eens in.' Maar dat had ik dus al gedaan.

Juist!

Medelijden was in ieder geval wel het allerlaatste waar ik op dat moment aan dacht.

Jammer van die klojo die met z'n kop tegen de koffietafel was gevallen. Of was het anders – had iemand hem tegen de grond gesmeten? Ik probeerde dat beeld uit mijn hoofd te verdringen.

Wat was er aan hem verloren? Aan een viespeuk die achter jonge meiden aanzat?

Maar het lukte niet, ik kon geen enkele rechtvaardiging voor mijn daad bedenken.

De telefoon ging. Ik nam op en probeerde het met,

'Ja?'

'Jack, met Sutton.'

'O. Ja?'

'Hoe gaat het nu?'

'Met mij prima.'

'Zit je soms aan de drank?'

'Wat?'

'Ik hoor het aan je manier van praten.'

'Wie denk je dat je bent? Mijn moeder?'

'Niet die toon, Jack, niet die toon. Ik wil je alleen maar zeggen dat je niet de enige bent. Ik kom even langs, dan gaan we pizza bestellen en een filmpje kijken.'

'Het lijkt wel een afspraakje.'

'Jezus, Jack. Ik weet niet wat je daar zit te drinken, maar het valt geloof ik een beetje slecht.'

'Net als die praatjes van jou.'

Waarna ik de hoorn op de haak smeet.

Ik stond nu recht overeind, ijsbeerde door de kamer, praatte in mezelf.

'Wie heeft er behoefte aan jouw gezeik? Ik in elk geval niet, godverdomme. En ze hoeven me ook niet meer te bellen.'

Ik trok de telefoonstekker eruit.

Ik zette de radio aan, kwam per abuis bij Lyric FM terecht. 'Für Elise' was net aan de gang. Wat mooi, dacht ik en ik nam me voor om morgen meteen een cd te gaan kopen. Een hele tijd later, nadat ik achtereenvolgens op nog vier andere zenders had afgestemd, wist ik dat ik ook cd's ging kopen van:

Elvis
The Eagles
James Last
en
The Furey Brothers.

En bedacht toen, 'Waarom wachten tot morgen?'

Wierp een blik op de cognacfles. God-zal-me-liefhebben! Bijna leeg. Had ik soms gemorst? Moest haast wel, een andere verklaring was er niet. De voorbereidingen kostten nogal wat moeite omdat ik steeds tegen meubels opbotste, maar ten slotte was ik zover. Ik riep,

'Sayonara, stelletje schijters.'

Maar de lege kamer reageerde niet.

"'Doctor, I'm in trouble.'
'Oh,
goodness gracious me.'"

Sophia Loren en Peter Sellers in *The Millionairess*

Toen ik bijkwam, zaten er riemen om mijn polsen. Een kater van heb-ik-jou-daar. Ik lag vastgebonden op wat bij nader onderzoek een brancard bleek te zijn. Mijn hoofd bonkte. Mijn benen trilden. Ik wist niet wat er gebeurd was nadat ik 'Sayonara, stelletje schijters' had geroepen.

Er kwam een verpleegster aanlopen. Ze zei,

'Aha, meneer Taylor. Ik zal de dokter roepen.'

Dat deed ze.

Een man van in de vijftig boog zich met een flauwe glimlach over me heen en zei,

'Meneer Taylor, ik ben dokter Lee. Weet u nog hoe u hier gekomen bent?'

Ik probeerde mijn hoofd te schudden maar de pijn was te hevig. Hij knikte en zei,

'U bent in Ballinasloe... in het psychiatrisch ziekenhuis. Volgens mij had u een black-out gekregen. U bent voor Hayden's Hotel in elkaar gezakt.'

Iedere vezel in mijn lichaam werd bevangen door panische angst. Het zweet gutste langs mijn lichaam. De dokter zei,

'We moesten uw vingers opnieuw zetten, want het zag ernaar uit dat u iemand een klap had gegeven. Als je pas daarvoor je vingers hebt gebroken, is dat niet zo'n goed idee.'

Het lukte me om wat slijm te produceren. Ik vroeg,

'En mijn neus?'

Hij schoot in de lach en zei,

'Nee, daar konden we helaas niets aan doen. Maar ik ben blij dat uw gevoel voor humor nog intact is. Dat zult u nog hard nodig hebben.'

De verpleegster gaf me een spuitje en ik raakte weer buiten westen. Ik weet niet of ik gedroomd heb. Als dat zo was, kan ik me daar goddank niks meer van herinneren. Toen ik weer bijkwam, voelde ik me iets minder beroerd. Ze hadden de riemen van mijn polsen gehaald, wat erop wees dat er iets aan het veranderen was. Misschien was ik wel aan de beterende hand. Daar was dokter Lee weer.

'Herinnert u zich ons gesprek nog?'

'Jazeker.'

'Dat was achtenveertig uur geleden.'

Ik probeerde op passende wijze te reageren met een blik waaruit ontzetting sprak, maar wat betekent ontzetting binnen de muren van een psychiatrische inrichting? Hij ging verder met,

'U herstelt snel. Het menselijk lichaam is een wonderbaarlijk iets. Ondanks de ergste afstraffingen levert het steeds weer strijd om zich te herstellen. Maar met welk doel, meneer Taylor? Met welk doel?'

Het lukte me eindelijk om te praten zonder eerst slijm te hoeven oprochelen. Ik zei,

'Ik begrijp de vraag niet.'

'Ik denk dat u mij maar al te goed begrijpt, meneer Taylor. Waarom zouden wij moeite doen om u weer op te lappen, als u daarna weer precies hetzelfde doet?'

Ik had geen flauw idee.

'Geen flauw idee.'

'Dit is niet de eerste keer.'

'Klopt. Zou u me Jack willen noemen?'

'Jack! Luister eens, Jack, ik zou je de stuipen op het lijf kunnen jagen met allerlei griezelverhalen. Iedere keer dat je een black-out krijgt, hoopt zich vocht op in de hersenen. Je lever is er slecht aan toe, en ik weet niet hoeveel je nieren nog kunnen verdragen. Heb je verder nog vragen?'

Ik wilde weten hoe ik in godsnaam in Ballinasloe terecht was gekomen, maar volgens mij kon hij die vraag niet beantwoorden. Ik zei,

'Bedankt... voor... eh... dat u me geen ernstige waarschuwing hebt gegeven.'

'Heb ik dat dan net niet gedaan?'

Na een paar dagen afkicken kreeg ik mijn kleren terug. Alles gewassen en gestreken. Woorden schoten te kort om mijn vreugde te beschrijven. Ik stond midden in de kamer en danste een paar passen van een jig. Heel even maar... en onvast ter been, maar toch: een paar passen van een dans waarbij Ieren bijna helemaal uit hun dak gaan.

Eigenlijk triest dat een volwassen man zo dankbaar reageert als ze alleen maar zeggen dat hij zijn kleren aan moet trekken.

Ik mocht me weer onder de mensen begeven. Ik vroeg aan de verpleegster,

'Mag ik niet in mijn kamer blijven?'

Ze schoot in de lach en zei,

'Waar denkt u dat u bent? In een hotel? Hup, de buitenlucht in. Rondwandelen.'

Ik wist niet wat me te wachten stond. Een psychiatrisch ziekenhuis... waar de patiënten los rondliepen. Ik verwachtte, zowel letterlijk als figuurlijk, een compleet gekkenhuis. Kwijlende patiënten, dwangbuizen, heen en weer rennende gestoorden.

Maar in plaats daarvan betrad ik een wereld vol rust en kalmte. Geen wereld van stilte, maar een wereld waarin alleen een zacht, zoemend geluid hoorbaar was. Alsof iemand de volumeknop helemaal laag had gezet. De wonderen van de medische wetenschap: stop ze vol met kalmerende middelen, dan hou je ze onder de duim.

In de eetzaal werd het middageten geserveerd. De eetzaal was een open, heldere ruimte, net zoiets als onze kantine op de politieschool in Templemore.

Ik pakte een dienblad en ging in de rij staan. De rij was ordentelijk en... rustig. Achter me zei een stem,

'Eerste keer hier?'

Ik draaide me om en zag een man van achter in de zestig. Hij leek helemaal niet... gek! Goedgekleed, met het gezicht van een bierdrinker. Een donkerrode neus vol gebarsten bloedvaten. Een ooit indrukwekkend, maar nu jammerlijk ingezakt postuur. Ik zei,

'Waaraan merk je dat?'

'Omdat het net is of je elk moment uit je vel kunt springen.'

'O.'

Hij stak een hand uit. Hij had net zulke handen als Larry Cunningham. Van die grote kolenschoppen. We gaven elkaar een hand. Tot mijn verbazing was zijn handdruk nogal slap. Hij zei,

'Ik ben Bill Arden.'

'Jack Taylor.'

'Hallo, Jack Taylor.'

Ik had ondertussen het deel van de balie bereikt waar het warme eten stond. De serveerster, een dik plattelandstype, vroeg,

'Wat wil je, lieverd?'

Van dat 'lieverd' ging mijn hart sneller slaan. Ik wilde haar omhelzen. Bill zei,

'Witte kool met spek. Erg lekker.'

Ik bestelde witte kool met spek. Ze zei,

'Met jus, lieverd?'

'Ja, graag.'

Het toetje bestond uit een grote portie appelmoes met vla. Dat nam ik ook. Kon het mij schelen. Ik was toch niet van plan om te gaan eten. Bill zei,

'Zoek maar een plekje bij het raam. Ik kom zo met de thee.'

Ik ging aan een tafel bij het raam zitten.

De mensen die daar al zaten te eten, schrokten alsof hun leven ervan afhing. Misschien was dat ook wel zo.

Bill ging zitten en begon meteen als een bezetene in te laden. Halverwege keek hij op en vroeg,

'Eet jij niet?'

'Nee.'

'Dat hebben ze in de gaten... je kunt beter het spelletje meespelen.'

Er zaten stukjes kool tussen zijn voortanden. Ik kon mijn ogen er niet van afhouden. Ik prikte met mijn vork lusteloos in mijn eigen prak. Bill zei,

'Schuif je bord maar door. Moet je zien hoe die beesten eten.'

Zo gezegd, zo gedaan. Binnen een paar tellen was mijn bord leeg. Het werd weer teruggeschoven. Bill zei,

'Ik neem je toetje wel. Ik ben dol op zoetigheid.'

Toen hij eindelijk uitgegeten was, leunde hij achterover, maakte de bovenste knoop van zijn broek open en liet een boer. Hij haalde een pakje sigaretten tevoorschijn en vroeg,

'Ook één?'

'Nee... dank je.'

Hij stak een sigaret op. Hij blies een grote rookwolk uit en zei,

'Als je hier lang genoeg blijft, ga je vanzelf roken.'

'Dat denk ik niet.'

Op dat moment viel het me op dat iedereen – en ik

bedoel echt *iedereen* – zat te roken. Zelfs de troel achter het buffet stond te paffen. Hij zag mijn verbaasde blik en zei,

'Zelfs met een deel van de markt zit je gebakken.'

Ik begreep niet precies wat hij daarmee bedoelde en zei dus maar,

'Zo kun je het ook bekijken.'

Ik voelde me nog steeds rot, maar toch: 'zo kun je het ook bekijken' is en blijft een lullige opmerking. Bill vroeg,

'Alco?'

'Wat zei je?'

'Jij bent alcoholist, daarom zit je hier... toch?'

Het maakte niet uit of ik nu of later mijn Amerikaanse accent zou laten horen, dus ik zei,

'Yeah.'

'Wist ik. Je haalt ze er zo tussenuit. Daar hebben we onze eigen voelsprieten voor. Volg jij de Kuur?'

'De wát?'

'De Ontwenningskuur. De kuur hier is een van de beste in Ierland. Ik heb hem al heel wat keren gedaan.'

'Begrijp me niet verkeerd, Bill, maar als dat zo'n goede kuur is, waarom zit je dan hier... voor de zoveelste keer?'

'Zal ik je zeggen, Jack. Ik ben gek op een stevige pint. Als ik het op een zuipen zet, bel ik ze van tevoren op om te vragen of ze een bed voor me vrij willen houden. En dat gebeurt zo'n twee, verdomme nee... drie keer per jaar.'

'Jezuschristus!'

'Je kunt er pas over meepraten als je het zelf hebt

geprobeerd. Als je door de drank in de problemen komt, is het fijn om te weten dat ze hier een plek voor je hebben.'

Ik rilde. Hij keek me aan. Ik zei,

'Ontwenningsverschijnselen.'

'Neem nog wat Librium, dan gaat het wel over.'

Er kwam een man langs. Hij wankelde en botste tegen me aan, maar hij herstelde zich en zwalkte verder in de richting van de deur. Bill grijnsde en zei,

'Dat is de Ballinasloe Extra Speciaal.'

'Wat bedoel je?'

'Die vent, moet je hem zien... zoals hij daar rondzwalkt... net of hij straalbezopen is. Dat noemen ze de Largactilpas. Zwijmelen op de muziek van je eigen tamboer, de hele dag op een andere planeet. Jezus, ik ben gek op Ballinasloe.'

Bill begon me nu een beetje te vervelen. Dat joviale van mensen uit de Midlands is erg vermoeiend. Hij zei,

'Verder nog vragen?'

'Eh...'

'Vraag maar raak. Ik weet alles over wat hier gebeurt... en ook wat je moet doen als je niet wilt dat het gebeurt.'

Tot mijn afgrijzen liet hij die woorden vergezeld gaan van een knipoog. Dat zal ik nooit vergeten, zelfs al word ik honderd, wat ik overigens betwijfel. Eén van die vreselijke momenten uit je leven die je nooit meer vergeet. Ik moest moeite doen om mijn gezicht in de plooi te houden. Ik zei,

'Ik wil één ding van je weten.'

'Geeft niet wat. Mijn leven is dienen.'

'Waar is hier de bibliotheek?'

Hij reageerde verbijsterd. Het duurde wel een minuut voor hij antwoord gaf. Hij zei,

'Hou je me soms voor de gek?'

'Luister, *Bert...*'

'Ik heet Bill!'

'Maakt niet uit. Ik weet dat je me pas tien minuten kent, maar wees nou eens eerlijk... zie ik eruit als iemand die jou voor de gek wil houden?'

'Nee.'

'Oké dan... waar is de bibliotheek?'

Hij raakte in de war, wilde me lik op stuk geven. Hij zei,

'Je lijkt me helemaal geen boekentype.'

Nu was het mijn beurt om te lachen. Als je in een inrichting zit en niet minstens één keer onbedaarlijk kunt lachen, is het tijd voor zwaardere medicijnen. Ik vroeg,

'Hoe ziet een boekentype er volgens jou uit?'

'Jezus, geen idee... een serieus type... iemand die...'

'Bill... hé, Bill, je moet één ding van me aannemen... ik ben bloedserieus.'

Maar hij gaf het nog niet op. Geen wonder dat er in de Midlands zulke goede boeren wonen. Hij zei haastig,

'Maar je hebt zelf toegegeven dat je aan de drank bent. Wanneer heb je dan tijd om te lezen?'

'Tussendoor. Als ik m'n bed niet uit kan komen, lees ik.'

'Daar heb ik nog nooit van gehoord. Als ik tussen twee zuippartijen door in bed lig, denk ik dat ik... doodga.'

‘Ik lees mijn hele leven al. Ik ben al heel veel kwijtgeraakt, maar dat niet.’

Hij stak nog een sigaret op en bromde,

‘Ze hebben hier liever niet dat je leest.’

‘Jee zeg, dat zal me zwaar aan m’n reet roesten. Vertel op, Bill, waar?’

‘Op de eerste verdieping. Maar je kunt er nu niet naar toe, want na het eten heeft iedereen BT.’

‘B wat?’

‘Bezigheidstherapie, manden vlechten.’

Zover was het dus met me gekomen. Ik stond op het punt om in therapie te gaan. De verpleegsters kwamen langs met het wagentje met medicijnen. Ik nam mijn portie Librium en zei tegen Bill,

‘Tot straks.’

‘Maar we hebben BT!’

Zijn stem had nu iets zeurderigs. Ik kwam overeind en zei,

‘Mijn therapie bestaat uit lezen.’

Ik hoorde Bill mompelen,

‘Nog nooit zo’n rare alcoholist gezien.’

BOEKEN EN NOG VEEL MEER

Boeken zijn er altijd geweest. Ze vormen de enige constante factor in mijn hele sjofele bestaan. Zelfs Sutton, mijn beste vriend, had eens uitgeroepen,

'Wat heb jij toch met lezen? Je bent verdomme bij de politie geweest.'

Wat een schoolvoorbeeld is van Ierse logica.

Ik zei toen tegen hem – en ik heb het sindsdien wel honderd keer herhaald,

'Lezen brengt me in vervoering.'

Hij zei, met die typische openhartigheid van hem,

'Gelul.'

Zoals ik al zei, werkte mijn vader bij de spoorwegen. Hij was gek op cowboyboeken. Hij had altijd wel een beduimelde Zane Grey in zijn jaszak zitten. Hij begon ze aan mij door te geven. Mijn moeder zei steeds,

'Zo maak je nog een mietje van hem.'

Als zij buiten gehoorsafstand was, fluisterde hij altijd,

'Laat je moeder maar. *Ze bedoelt het goed.* Maar je moet wel blijven lezen.'

'Waarom, papa?'

Niet dat ik van plan was om ermee te stoppen, want ik was al verslaafd.

'Boeken leren je hoe je keuzes moet maken.'

'Wat voor keuzes, papa?'

Waarop hij in de verte staarde en zei,

'Vrijheid, jongen. Vrijheid.'

Voor mijn tiende verjaardag kreeg ik van hem een bibliotheekpasje. Van mijn moeder kreeg ik een hurley. Ze zou hem later nog vaak gebruiken om me bont en blauw te slaan. Maar ik speelde wel hurling. Hoe zou ik anders in aanmerking gekomen zijn voor een baan bij de politie? Nergens anders wordt een goede hurler zo op prijs gesteld.

Het bibliotheekpasje was bepalend voor mijn verdere leven. Toentertijd zat de bibliotheek nog in het gerechtsgebouw. Boeken boven, rechtszalen beneden. Iedere keer dat ik er naartoe ging, staarde ik vol ontzag naar de gardaí. Daarna liep ik naar boven en staarde daar vol verbazing naar de boeken. De beide draden van mijn leven waren ineengevlochten.

Van het een kwam – letterlijk – het ander. Het is me nooit gelukt om me aan de invloed van beide te onttrekken, ongeacht mijn levensomstandigheden.

Ik begon met Robert Louis Stevenson, Richmal Crompton, de Hardy's. Ongetwijfeld zou ik op dezelfde willekeurige manier zijn doorgegaan en na verloop van tijd mijn belangstelling hebben verloren, als de toenmalige bibliothecaris, Tommy Kennedy, me niet had geholpen. Kennedy was een lange, magere man die een wat wereldvreemde indruk maakte. Bij mijn eerste bezoeken bekeek hij steeds de boeken die ik had uitgezocht en zei dan 'hm', waarna hij ze afstempelde.

Op een bijzonder regenachtige, sombere dinsdag kwam hij naar me toe en zei,

'Volgens mij moeten we wat meer structuur aanbrengen in je leesgedrag.'

'Waarom?'

'Je wilt toch niet dat het je gaat vervelen?'

'Nee.'

Hij begon met me Dickens te laten lezen. Na verloop van tijd kwamen daar, haast vanzelf, de klassieken bij. Hij drong me nooit boeken op, maar liet me in de waan dat het mijn eigen keuze was.

Toen later de stormen van de puberteit mijn hele leven overhoophaalden, liet hij me kennismaken met misdaadverhalen. Daardoor ben ik steeds blijven lezen.

Hij legde ook boeken voor me apart, zodat ik een heel pakket van hem meekreeg met

poëzie
filosofie
en de beste
Amerikaanse misdaadromans.

Ik was nu, in de ware zin van het woord, bibliofiel geworden. Ik hield niet alleen van lezen, ik hield ook van de boeken zelf. Ik had geleerd de geur, het bindwerk en de verschillende lettertypes te waarderen. Ook vond ik het gewoon fijn om een boek in mijn handen te hebben.

Mijn vader had een grote boekenkast voor me gemaakt, en ik had geleerd hoe ik de boeken alfabetisch en op onderwerp moest rangschikken.

Maar ik sprong ook uit de band. Woeste hurlingwedstrijden, cider drinken, spijbelen. Maar thuis staarde ik vol hartstocht naar mijn eigen bibliotheek.

Omdat de uitvoering en de aanraking van een bepaald boek me aanspraken, begon ik er in te lezen.

Op die manier heb ik poëzie ontdekt. Niet dat mijn leven daardoor poëtisch is geworden, maar ik had wel altijd gedichten bij de hand.

Er was niemand met wie ik over dat soort dingen kon praten. Als je bij ons in de straat over poëzie begon, kon je een trap voor je kloten krijgen.

Mijn vader stond vaak voor mijn groeiende verzameling boeken en zei dan steeds,

'Bij Kenny's boekhandel zouden ze hier trots op zijn.'

Mijn moeder voerde steeds, vol minachting, haar vaste nummer op.

'Je stopt zijn hoofd vol met de gekste ideeën. Ik wil weleens proberen of ik de huur met een paar gedichten kan betalen.'

Mijn vader keek me dan aan en ik vormde met mijn lippen de woorden,

'Ze bedoelt het goed.'

Later in bed hoorde ik haar tekeergaan,

'Straks ga je me nog vertellen dat we boeken kunnen eten. Ik zou je d'r wel eens een brood mee willen zien kopen.'

Haar wens is trouwens toch nog uitgekomen. Tijdens mijn eerste dag op Templemore heeft ze ze verkocht en de boekenkast opgestookt.

Tommy Kennedy had voorspeld dat ik grootse dingen zou gaan doen. Hij droomde er zelfs van dat ik naar de universiteit zou gaan. Maar met de resultaten van mijn eindexamen lukte het me amper om bij de politie aangenomen te worden. Toen ik Tommy vertelde welke loopbaan ik had gekozen, sloeg hij zijn handen voor zijn gezicht en zei,

'Eeuwig zonde.'

Op de avond voor mijn vertrek had ik bij Garavan met hem afgesproken. Ik was inmiddels een stevige kerel. Door veel hurling te spelen en aardappelen te eten was ik behoorlijk in omvang toegenomen. Geen grammetje vet, maar wel een en al spieren. Ik zat bij Garavan te wachten. Tommy kwam binnenlopen en tuurde in het halfduister. Ik riep,

'Meneer Kennedy.'

Het leven had zijn sporen op hem achtergelaten. Hij zag eruit als een oude hazewindhond. Hij straalde iets weemoedigs uit. Ik vroeg,

'Wat wilt u drinken, meneer Kennedy?'

'Een flesje Guinness, graag.'

Ik was toen een en al jeugd en overmoed. Ik bestelde de drankjes. Nam zelf een pint. Tommy zei,

'Je begint al vroeg.'

Ik keek op mijn glimmende nieuwe horloge, dat aan een plastic bandje om mijn pols zat. Uit de aanbieding van Woolworths. Hij glimlachte droevig en zei,

'Dat bedoelde ik niet.'

Ik zei,

'Sláinte.'

'Succes, Jack.'

Er viel een stilte. Toen haalde hij een dun boekje tevoorschijn en zei,

'Een afscheidsgeschenk.'

Prachtig gebonden, in oud leer. Goud op snee. Hij zei,

'De Hemelsche Jager van Francis Thompson. Ik hoop dat de inhoud ervan nooit op jou van toepassing zal zijn.'

Ik had niets voor hem. Hij zei,

'Ik kan je boeken blijven sturen.'

'Hm... misschien beter van niet... weet u... allemaal boerenpummels... denken ze dat ik een flikker ben.'

Hij ging overeind staan en schudde mijn hand. Ik zei,

'Ik schrijf wel.'

'Moet je doen. Succes. En maak er wat van.'

Nooit gedaan, natuurlijk... schrijven, bedoel ik. Tot mijn eeuwige schande hoorde ik pas twee jaar na zijn dood dat hij was overleden.

SUTTON

Terwijl ik in Ballinasloe zat, dacht ik over van alles en nog wat na. De meeste onderwerpen waren depressief van aard. Wegen die zich splitsten. En ik, die niet koos voor de mooiste, maar blindelings voortstrompelde op de eenmaal ingeslagen weg. Mensen die me vriendelijk bejegend hadden en die ik vervolgens schandalig had misbruikt.

Een nietsontziende onverschilligheid waar het de gevoelens van anderen betrof. Reken maar. Ik zat boordevol schuldgevoelens. Als je daar nog een snuifje wroeging en een grote dosis zelfmedelijden bij doet, heb je de klassieke alcoholist in al zijn vergane glorie.

In de buitenwereld kon ik met deze last omgaan door veel te drinken. Gewoon wegspoelen die handel. Verdoof de pijn met drank. De paradox is dat iedere nieuwe verdoving ook weer nieuwe schade achterlaat.

Ziedaar: de straalbezopen ruiter van mijn eigen apocalyps.

Tijdens de eerste paar dagen in het ziekenhuis waren de ontwenningsverschijnselen het hevigst. Ze raadden je aan om veel water te drinken om de schadelijke stoffen weg te spoelen. Dat ging nog wel. Je kreeg ook een bloedonderzoek om de schade aan je nieren en je lever vast te stellen. Die van mij hadden een aardige opdonder gehad. Iedere dag vitamine-injecties om het tegenstribbelende gestel weer gezond te maken. En Librium natuurlijk. Dat was toen mijn lievelingsmedicijn, dat me hielp om behoorlijk te slapen. De verschrikkingen van de nacht zijn voor een alcoholist het ergste wat er bestaat.

Of ik droomde? Nou reken maar. Maar niets voorspelbaars. Niet over

mijn dode vader
dode vrienden
dood leven.

Nee.

Ik droomde over Sutton.

Het klikte meteen tussen ons. Het was zo'n verbintenis die elke uitleg tart. Ik was een jonge agent, grotendeels nog groen achter m'n oren. Hij was toen een grijze barkeeper, en na talrijke vechtpartijen – zowel echte als denkbeeldige – een veteraan op dat gebied. Ik weet zelfs nu nog niet waar hij vandaan kwam, hoe oud hij was of wat zijn achtergronden waren.

Die veranderden namelijk net zo vaak als de cafés die we bezochten. Tijdens onze talrijke zuippartijen vertelde hij me dat hij afwisselend

militair
zakenman
schilder
misdadiger

was geweest.

Ieder verhaal bevatte een kern van waarheid, maar de details veranderden zo vaak dat je nooit zeker wist wat feit was en wat fictie.

Hij was wat je noemt een kameleon. Hij paste zich aan aan de omgeving die hij op dat moment had uitgekozen. Toen ik hem leerde kennen, had hij een zwaar Noord-Iers accent. Hij kon net zo gemakkelijk Ian Paisley nadoen als Eamonn McCann.

Zoiets is indrukwekkend. Om niet te zeggen angstaanjagend.

Ik heb hem eens Bernadette Devlin horen nadoen,

op zo'n manier dat je haast zou geloven dat je haar zelf hoorde praten.

Toen hij naar Galway verhuisde, had hij het accent binnen een week onder de knie. Je zou zweren dat hij nooit verder dan Tuam was geweest.

Maar niets van dat alles deed bij mij een belletje rinkelen. Ik geloofde juist dat het hem tot een boeiende persoonlijkheid maakte.

Omdat ik eigenlijk doof was voor dat soort belangrijke signalen, omdat ik jong was...

omdat
omdat
omdat

Omdat ik misschien voor mezelf niet wilde toegeven dat zijn karakter een donkere kant had, liet ik een hele reeks aanwijzingen aan me voorbijgaan.

Al vanaf het begin had hij er nooit doekjes om gewonden als het over geweld ging. Hij had me verteld over vechtpartijen in kroegen waarbij hij zijn tegenstanders bijna had vermoord, en eraan toegevoegd,

'Zal ik je eens wat zeggen, Jack?'

'Wat?'

'Ik heb er spijt van.'

'Tja, het kan soms uit de hand lopen.'

'Dat bedoel ik niet. Ik heb er verdomme spijt van dat ik die klootzakken niet vermoord heb.'

Ik lachte er enkel om.

Ik had erg onregelmatige diensten. Toen de Troubles begonnen op te laaien, kwam het soms voor dat ik achtenveertig uur achter elkaar dienst had. Maar ongeacht wanneer mijn dienst afliep, op hetzelfde moment hield Sutton altijd op met werken en gingen we samen aan de boemel.

Op een gedenkwaardige zaterdagavond/zondagmorgen hadden we het in een illegale kroeg in de Lower Falls uitbundig op een zuipen gezet. Er hingen, haast tastbaar, gevaar en kruitdamp in de lucht, wat ons drinktempo alleen maar deed toenemen. Ik zweer dat het bier naar cordiet smaakte. Sutton was rood aangelopen. Hij zei,

'Zo goed als nou krijgen we het nooit meer. Zeker weten.'

Aan die trip heb ik een met de hand gemaakte, zestig centimeter hoge, harp overgehouden. Gemaakt door de gevangenen in Long Kesh. Ik heb wel honderd keer 'The Men Behind The Wire' horen zingen.

De romige pints werden weggespoeld met goudkleurige maatjes Bushmills. Sutton boog zich naar me toe. Het zweet droop van zijn gezicht. Hij zei,

'Dit is toch *het einde*, hè Jack?'

'Behoorlijk heftig, ja.'

'Weet je wat helemaal te gek zou zijn?'

'Vertel op.'

'Een of andere klootzak vermoorden.'

'Hé!'

'Ja... iemand koud maken.'

'Hè?'

Hij leunde achterover, kneep me in mijn schouder en zei,

'Ik klets maar wat... je moet niet overal zo zwaar aan tillen, Jack.'

In de loop der jaren hadden zich vaker zulke momenten voorgedaan. Ik had ze steeds weggemoffeld, samen met de lege flessen en de enorme katers.

Nu en dan had ik het onbehaaglijke gevoel dat hij me haatte. Maar het lukte me nooit om er precies de vinger op te leggen en dus deed ik het maar af als een gevolg van de paranoia die door het drinken werd veroorzaakt.

Op een avond zat ik in een kroeg in Newry op hem te wachten. Ik had meestal een boek in mijn binnenzak, zodat ik als de gelegenheid zich voordeed even wat kon lezen. Ik was er zo in verdiept dat ik hem niet binnen had horen komen. Opeens hoorde ik,

'Jezus, Taylor, altijd maar die boeken.'

Ik maakte aanstalten om het weg te steken, maar hij pakte het beet en las de titel. Het was De Hemelsche Jager. Hij zei,

'Zo, Francis Thompson?'

'Ken je het?'

Hij ging met zijn hoofd achterover staan en reciteerde,

'Ik vlood Hem, vlood Hem nachten, dagen door/Ik vlood Hem door der jaren zuilengang...'

Ik knikte en hij zei,

'Hij is brullend en krijsend doodgegaan.'

'Wat?'

'Zo gaan alcoholisten dood: brullend en krijsend.'

'Jezuschristus.'

Steeds als ik wantrouwen begon te voelen, drukte ik dat de kop in. Want in mijn hersens stond gegrift – 'Hij is mijn vriend. En trouwens, niemand is volmaakt.'

De bibliotheek in Ballinasloe was gesloten. Wegens verbouwingswerkzaamheden. Ik bracht mijn dagen door met BT. Op de tafel voor me stond een mandje met veertjes. Het was mijn taak om ze in balpennen te stoppen.

De rest van de tijd slikte ik Librium, probeerde Bill zoveel mogelijk te mijden en keek uit naar het moment dat 's avonds de slaappillen werden uitgedeeld.

De laatste droom die ik in Ballinasloe had, was zo levendig dat ik twijfel of het niet echt zo gebeurd is. Sutton zei,

'Jij bent degene die leest... jij weet alles van misdaadromans.'

'Nou en?'

'Heb je *De Geboren Moordenaar* van Jim Thompson gelezen?'

'Dat ken ik niet.'

'Dat is de beste misdaadroman die er is.'

Maar God bestaat wel degelijk. En niet alleen in dat liedje van Tom Jones. Op de dag dat ik ontslagen werd, kreeg ik mijn kleren terug. Gewassen en gestreken. En ook nog een uitpuilende portefeuille. Drinkers krijgen nooit geld. Dat is tegen de wetten van de natuur. Toen ik uit mijn flat vertrok, had ik niet meer dan zo'n dertig pond op zak. Ik staarde naar de portefeuille. De verpleegster vatte het verkeerd op en zei geïrriteerd,

'Het zit er allemaal nog in, meneer Taylor. We stelen hier niet van onze patiënten. Vierhonderdvijftig pond. Telt u het maar na als u het niet gelooft.'

Waarna ze de benen nam. Ik ging afscheid nemen van dokter Lee. Ik zei,

'Kan ik ergens iets aan bijdragen?'

'Ja, aan je eigen gezondheid – door niet meer te drinken.'

'Maar ik meen het. Ik...'

'Ik ook.'

Hij stak zijn hand uit en zei,

'Je hebt de AA.'

'Inderdaad.'

'En er is Antabus.'

'Precies.'

Hij schudde nog net niet met z'n hoofd, maar het was duidelijk wat hij van mijn reactie vond. Toen vroeg hij,

'Jack... heb je familie... vrienden?'

'Da's een goeie vraag.'

'Probeer eens of je daar achter kunt komen.'

Buiten scheen de zon. Er stopte een volle bus. Alle

passagiers zaten me aan te staren. Ik zag er, met mijn wrakke lichaam en de meest beruchte inrichting in Ierland op de achtergrond, bepaald niet uit als een personeelslid.

Ik stak mijn middelvinger op.

De meeste passagiers begonnen te klappen.

Hoe kon het ook anders. Vlak naast het ziekenhuis stond een kroeg. Ik werd heel even duizelig en moest de grootste moeite doen om de verleiding te weerstaan. Nooit zongen de sirenen op zo'n zuivere toon. Maar het kon niet... het kon niet. Ik keek om en voelde dat dokter Lee me goedkeurend toeknikte, alsof hij me daar kon zien staan. Ik liep verder.

Ik liep naar het station. De trein vertrok al over een half uur. Ik ging in de restauratie zitten, maar bestelde niets. Er lag een krant op een stoel. Nog meer enquêtecommissies. Ik had het gevoel dat ik zelf smeergeld had aangenomen. Ik keek naar de datum. Mijn maag draaide om in mijn lijf: ik was twaalf dagen weg geweest. Eén dag voor elk van de apostelen. Door wat rekenwerk te doen kwam ik erachter dat ik drie dagen volkomen van de kaart geweest moest zijn en in die tijd... geld had verdiend.

De trein kwam. Ik stapte in en ging bij een raampje zitten. Ik had me in het ziekenhuis niet geschoren, zodat ik al een behoorlijke baard begon te krijgen. Ik leek de vader van Kris Kristofferson wel. Met mijn gehavende neus maakte ik helemaal een indruk van 'probeer me niet iets te flikken'. Voordat ik uit het ziekenhuis vertrok, had ik eens goed in de spiegel gekeken. Ik had me ergens over lopen verbazen, maar nu wist ik wat het was. Mijn ogen. Het waren niet meer die bloeddoorlopen kijkers van vroeger; mijn ogen vertoonden nu een blik die je bijna 'levendig' zou kunnen noemen. Niet helder, maar het begon er op te lijken. De ziekelijke blik waar ik na al die jaren aan gewend was geraakt, was verdwenen: het leek wel een openbaring.

Voorbij Athenry kwam het rijdende buffet langs. Een jongen van een jaar of achttien vroeg,

'Thee, koffie, frisdrank?'

'Thee, graag.'

Ik voelde dat hij mijn verwondingen stond te bestuderen en zei,

'Van m'n motor gelazerd.'

'Jemig.'

'Ik reed honderddertig.'

'Een Harley?'

'Wat anders?'

Vond hij leuk. Hij vroeg,

'Wilt u iets drinken?'

'Wat bijvoorbeeld?'

'We hebben allemaal van die kleine flesjes, maar er is geen hond die die prijzen wil betalen.'

'Nee... bedankt.'

'Twee voor de prijs van één. Wat dacht u daar van?'

'Ik kan niet... ik bedoel... ik gebruik medicijnen... tegen de pijn.'

'Aha... pillen.'

Hij leek daar alles van af te weten en zei vervolgens,

'Ik moet weer verder. Doe voorzichtig.'

Toen ik uitstapte, kwam ik een taxichauffeur tegen die ik al mijn hele leven ken. Hij vroeg,

'Geen bagage?'

'Die wordt per auto bezorgd.'

'Heel verstandig.'

Als je dit soort dingen kunt zeggen zonder een spier van je gezicht te vertrekken, ben je geslaagd. Taxichauffeurs moeten er natuurlijk een speciaal examen in afleggen.

Ik keek uit over Eyre Square. Vanaf elke hoek wenkten de kroegen. Rugzaktoeristen liepen af en aan, op zoek naar het Nirwana of naar een goedkope jeugdherberg. Een groepje drinkers zat tegenover het Great Southern Hotel luidkeels te zingen. En omdat er niemand anders was om het te zeggen, zei ik het zelf maar,

'Welkom thuis.'

DE DODEN

Toen ik bij Grogan binnenstapte, voelde ik een mengeling van angst en adrenaline. Sean stond achter de bar. Hij herkende me eerst niet. Ik zei,

'Sean.'

'Jezuschristus, daar heb je Grizzly Adams.'

Hij kwam achter de bar vandaan en zei,

'Godnogantoe, waar heb jij gezeten? Iedereen is naar je op zoek. Ga zitten. Ga zitten, dan haal ik even je vaste recept.'

'Geen drank, Sean... alleen koffie.'

'Meen je dat nou?'

'Helaas wel.'

'Goed zo.'

Je weet dat het slecht met je gaat als je een kastelein hoort zeggen dat hij blij is dat je niet drinkt. Ik ging zitten. Ik had een licht gevoel in mijn hoofd. Sean kwam terug met de koffie en zei,

'Ik heb er maar een Kitkat bijgedaan, anders staat het zo zielig.'

Ik proefde van de koffie en zei,

'Jezus, wat lekker.'

Hij klapte als een opgewonden kind in zijn handen en zei,

'Dat is pas echte koffie. Meestal geef ik je een slap bakkie, maar nu...'

'Heerlijk. Lekker sterk.'

Hij legde een hand op mijn arm en zei,

'Vertel op.'

Niets is dodelijker voor een gesprek dan zo'n verzoek. De geest klapt meteen dicht. Maar hij ging verder,

'Die vrouw, Ann? Ze is iedere dag hier geweest, hangt voortdurend aan de telefoon... en Sutton heeft me lopen vervloeken. Waarom heb je niet even gebeld?'

'Dat ging niet.'

'Begrijp ik.'

Maar hij begreep het niet. Hij kwam overeind en zei,

'Alles op z'n tijd. Ik ben blij dat het weer goed met je gaat.'

Na een tijdje besloot ik een poging te wagen om Sutton te pakken te krijgen. Dat was niet moeilijk. Hij stond bij de Skeffington Arms de bar te stutten. Zonder met z'n ogen te knipperen vroeg hij,

'Waarom kom je nu pas?'

'Er kwam wat tussen.'

'Die baard staat je goed, je lijkt er nog gemener door. Een pint of iets sterkers?'

'Een cola.'

'Komt eraan. Ober!'

Sutton nam nog een pint en liep met de Guinness en de cola naar een tafeltje bij het raam. We gingen zitten, tikten onze glazen tegen elkaar en zeiden,

'Proost.'

'Proost.'

'Dus je hebt in Ballinasloe gezeten?'

'Ja.'

'Is dokter Lee er nog steeds?'

'Zeker weten.'

'Aardige vent.'

'Ik mocht hem wel.'

Sutton hield zijn pint tegen het licht. Hij onderwierp de inhoud aan een nauwkeurig onderzoek en zei,

'Ik heb er zelf twee keer gezeten. Na de eerste keer heb ik me helemaal het lazarus gezopen.'

'In die eerste kroeg?'

Hij lachte, maar niet omdat hij het leuk vond. Hij zei,

'Ja, het personeel daar heeft de juiste houding, dat kan ik je wel vertellen. Gepokt en gemazeld, ze zijn daar heel wat gewend. Een van de weinige plaatsen waar ze je niet aan je kop zeiken. Na sluitingstijd komen ze vanuit het ziekenhuis met een bezemwagen langs. Als je dan nog niet weg bent, ben je de pineut.'

Hij goot de helft van de pint in één keer naar binnen en ging verder,

'Tweede keer was het weer prijs. Toen hebben ze me twee dagen vastgehouden. Ik sprong zowat uit m'n vel. Reken maar dat ik binnen de kortste keren weer aan de tap zat.'

'En nu?'

'Wat je nu voor je ziet is ongeveer hetzelfde als wat ze met jou hebben gedaan. Ik drink, maar probeer wel op tijd te stoppen.'

'En werkt dat?'

'Voor geen meter.'

Ik liep naar de bar en bestelde met neergeslagen blik nog een pint voor hem. De ober vroeg,

'Nog een cola?'

'Ik snij nog liever m'n polsen door.'

De ober scheen dit erg leuk te vinden. Toen ik weer

tegenover Sutton zat, vertelde ik hem over mijn propvolle portefeuille. Hij zei,

'Je bent er... twaalf dagen tussenuit geweest, toch? Ik herinner me vaag dat ze in die tussentijd een dealer te grazen hebben genomen.'

'Wat?'

'Een of ander punktype. Ze hebben hem bij de Salmon Weir-brug in elkaar geslagen en z'n poen gerold. De politie was er hartstikke blij mee.'

Hij keek naar mijn pas verbonden hand en mompelde,

'Hm... mmm... tja.'

Toen keek hij me recht in m'n gezicht en vroeg,

'Waarom heb je me niet gevraagd hoe het met wijlen meneer Ford, onze betreurde pedofiel, is afgelopen?'

'Ik hoopte dat ik dat allemaal gefantaseerd had.'

'Maak je geen zorgen. Ze gaan er van uit dat het een ongeluk was. Ik ben nog op de begrafenis geweest.'

'Dat meen je niet.'

'Het was niet druk. Bij een wedstrijd van de Hibernians zie je meer mensen.'

Ik wist niet wat ik daarvan moest denken. Sutton klopte me op mijn schouder en zei,

'Opgeruimd staat netjes.'

Tegen achten kwam ik thuis. Mijn flat was koud en verlaten. De lege cognacfles stond in de vensterbank. Ik deed de telefoonstekker er weer in en belde Ann. Ze herkende mijn stem meteen en riep,

'Goddank dat je belt, Jack... alles goed?'

'Ja, het gaat prima... ik moest even weg... ik moest even rustig nadenken en...'

'Maar nu ben je er weer.'

'Precies.'

'Geweldig. Ik heb kaarsjes voor je gebrand.'

'Dat was hard nodig ook.'

Toen schoot ze in de lach en was de spanning verdwenen. Ik sprak met haar af dat we de volgende dag samen zouden gaan lunchen. Ik had de hoorn al op de haak gelegd toen ik me afvroeg waarom ik niet tegen haar had gezegd dat ik nuchter was. Nee – niet dat ik nuchter was, maar dat ik niet meer dronk. Een wereld van verschil. Als 'nuchter' hetzelfde is als 'helder van geest' had ik nog een lange weg te gaan. Ik had het niet tegen haar gezegd omdat ik niet zeker wist of ik bij onze afspraak drank zou gaan gebruiken.

Van de cola had ik barstende hoofdpijn gekregen, maar daar viel nog mee te leven. Ik had meer moeite met het vage gevoel van onbehagen dat me parten speelde.

Ik keek naar een of ander rotprogramma. Om elf uur zette ik de televisie uit en ging naar bed.

Ik lag te woelen en te draaien, maar ik kon me met geen mogelijkheid het gezicht van de pedofiel voor de geest halen.

WIEG
ME
ZACHTJES
IN JE ARMEN

Hebben dromen ook een soundtrack? Ik bedoel, zoals je bij nachtmerries soms heavy metal of Boyzone hoort. In mijn slaap hoorde ik relaxte muziek uit Zuid-Californië. Ik droomde over mijn vader. Toen ik nog klein was, stonden we op Eyre Square. Ik hield zijn hand vast. Er kwam een bus voorbij, en plotseling drong het tot me door dat ik kon spellen... Ik las de advertentie hardop. Op de zijkant van de bus stond...

PADDY

Hij was verrukt, en niet alleen omdat het het eerste woord was dat ik kon spellen, maar omdat Paddy ook zijn naam was. Als je het wat cynischer bekijkt, was het eerste woord dat ik kon spellen ook de naam van *de* Ierse whiskey.

Maar niets kan de warmte van dat moment wegnemen. Ik voelde me volledig met hem verbonden. Door de jaren heen heeft onze verbondenheid – als gevolg van wat ik meemaakte en ook door het leven in het algemeen – heel wat deuken opgelopen, maar die waren enkel van voorbijgaande aard.

Ik werd wakker van de telefoon. Ik sleepte me, nog half slapend en zonder te weten hoe laat het was, naar het toestel en mompelde,

'Hallo.'

'Jack, met Sutton.'

'Hoe laat is het?'

'Later dan we denken.'

'Jezus, Sutton, wat is er?'

'Ik dacht dat je misschien problemen had en dat een opkikker je goed zou doen.'

'Ik lag verdomme te pitten.'

'Maak dat de kat wijs. Maar nu even ter zake: terwijl je weg was, is een jeugdbende hier begonnen met spiritusdrinkers in de fik te steken.'

'Wát?'

'Precies zoals ik zei. En spiritusdrinkers zijn onze bloedbroeders. Het levende bewijs dat. Maar goed, ik zit hier met een paar lui die er net zo over denken. We gaan de leider van de bende te grazen nemen.'

'Wat gaan jullie met hem doen?'

'De klootzak in brand steken.'

'Jezus, Sutton.'

'Kom je ook? Gaan we lekker vuurtje stoken.'

'Ben je wel goed snik? Je bent verdomme toch geen burgerwacht.'

'Ik ben voor rechtvaardigheid, Jack.'

'Zeg eens eerlijk, Sutton, ben je op tijd gestopt of heb je nu aan een stuk door zitten zuipen?'

Hij schoot onbedaarlijk in de lach en zei,

'Ik moet nu ophangen. We gaan zo beginnen.'

Het lukte me daarna niet meer om in slaap te komen. Ik ijsbeerde een paar uur door de woonkamer. Ik overwoog om op het behang te gaan kauwen. Ik liep naar de boekenkast en haalde John Sandford tevoorschijn. Sandford is de auteur van de *Prooi*-serie, die uit twaalf delen bestaat. Ik was dit deel toevallig tegengekomen.

> *Cold turkey, en niet zo'n beetje. Hij had drie dagen stijf gestaan van de cocaïne. Toen hij gisteravond begon af te kicken, was hij een*

drankwinkel binnengelopen om een fles Stolichnaya te kopen. Na drie dagen snuiven maak je geen zachte landing meer, maar door de wodka was wat een buiklanding had moeten worden, uitgelopen op een grandioos te pletter slaan, gevolgd door een vlammenzee. Daar moest hij nu de prijs voor betalen. Daar moest hij nu mee zien te leven.

Genoeg.

Het gekke was dat ik hierdoor een waanzinnige behoefte aan drank kreeg. En niet aan zomaar drank, nee, ik snakte naar een glas vol ijskoude Stoli.

Terug naar bed. Het kostte me de grootste moeite om in slaap te komen.

De volgende morgen luisterde ik om negen uur naar het nieuws. Na twee berichten over andere onderwerpen kwam,

> *Een jongeman heeft ernstige brandwonden opgelopen nadat hij in de vroege ochtenduren in brand was gestoken. Het voorval vond plaats op Eyre Square. De politie is naarstig op zoek naar vier mannen, die mogelijk iets met de aanslag te maken hebben. Naar aanleiding van de veronderstelling dat deze aanslag een vergelding zou kunnen zijn voor de aanslagen die in de afgelopen weken op een aantal daklozen zijn gepleegd, zei hoofdinspecteur Clancy het volgende:*
>
> *'Alle activiteiten van niet-officiële comités, of van privé-personen die de wet willen handhaven, dienen met kracht te worden bestreden.'*

Vervolgens begon hij breedvoerig een soort miniregeringsverklaring af te steken, maar ik draaide snel de knop om.

Ik kwam pas om elf uur bij Grogan aan. Sean vroeg bezorgd,

'Echte koffie of slootwater?'

'Doe maar het beste wat je hebt.'

Het was triest om te zien hoe opgelucht hij was toen hij dat hoorde. Hij kwam terug met een pot koffie en toast en zei,

'Je moet wat in je maag hebben.'

Ik zei,

'Ga even zitten. Ik wil je wat vragen.'

'Ga je gang.'

'Je moet wel bedenken dat degene die je dit vraagt de laatste tijd... laten we maar zeggen... wat beperkt was in zijn bewegingen.'

Hij knikte.

'Ligt het aan mij of is Sutton echt de kluts kwijt?'

Hij snoof minachtend en zei,

'Ik heb hem nooit gemogen.'

'Oké... maar wat denk je?'

'Ik heb nooit begrepen wat je in hem zag.'

Ik moest het er uit trekken.

'Sean... Sean, oké... dat begrijp ik, maar wat denk je?'

'Hij is rijp voor een inrichting.'

'Dank je, Sean. Zo'n onbevooroordeelde mening was meer dan ik had durven hopen.'

Sean was ondertussen overeind gekomen en sputterde,

'Zal ik je nog eens wat vertellen, Jack?'

Alsof ik hem tegen had kunnen houden.

'Die kerel draait volkomen de vernieling in, en hij probeert om zoveel mogelijk mensen met zich mee te slepen.'

De voornoemde kerel arriveerde een uur later en zei,

'Ik dacht wel dat je hier zou zitten... Sean, nog een laatste pint voor het vasten begint.'

Hij nam me zorgvuldig op en zei,

'Ben je nog nuchter? Daar kijk ik van op. Hoe lang ben je al.... een dag of zo?'

'Dertien dagen.'

'Dagen in een ziekenhuis tellen niet mee.'

'Jezus, bij mij anders wel.'

Sean zette de drankjes met een klap op tafel. Sutton zei,

'Wat een stomme klootzak.'

Ik zei,

'Ik heb het op het nieuws gehoord.'

'Hij gaf nog best heel wat hitte... voor zo'n klein kereltje. Maar het mooiste was nog dat, en dit zul jij ook wel leuk vinden, z'n maten om de politie stonden te schreeuwen. Is dat niet kostelijk?'

'Hij had wel dood kunnen gaan.'

'Aan ons lag het niet.'

Sutton was meer dan opgewonden. Alsof hij eindelijk zijn roeping had gevonden. Het leek of hij op het punt stond te gaan giechelen. Hij boog zich naar me toe en zei,

'Het komt allemaal door jou, Jack.'

'Door mij?'

'Jij bent ons voorgegaan toen je die pedo koud maakte. We zullen ze allemaal ter verantwoording roepen. Het zijn trouwens toch stuk voor stuk hopeloze gevallen.'

'Kom nou, Sutton, zie je niet dat dit waanzin is?'

'Dat is het zeker. Heerlijke waanzin.'

DE HAND DIE HET KIND WIEGT

Ik had met Ann bij de Chinees afgesproken. Toen ik wegging, zat Sutton nog steeds in zichzelf te mompelen. Sean hield me bij de deur tegen en zei,

'Ik haal zijn schilderij van de muur.'

'Laat toch hangen, Sean.'

'Hij is een waardeloze schilder. De klanten willen trouwens de hurleys weer terug.'

'Laat het nog even hangen, Sean, hij is op het moment een beetje labiel.'

'Labiel? Die schoft? Als hij een nest in je oor bouwt, laat hij je nog huur betalen.'

Ik liep naar Madden en kocht zes rode rozen. Ik heb nog nooit van m'n leven bloemen gekocht. Het meisje zei,

'Zal ik er een tuiltje van maken of wilt u liever een boeket?'

'Geen idee.'

Ze lachte. Ik zei dus maar,

'Kun je ze zo inpakken dat ze niet...'

'Dat ze niet kunnen zien dat u met bloemen loopt, is dat de bedoeling?'

'Precies.'

'Komt meer voor. Alleen echte mannen weten hoe ze bloemen moeten vasthouden.'

'Ik geloof je op je woord.'

Het maakte niet uit hoe ik ze vasthield, de bloemen waren op meters afstand te zien. Op zulke dagen kom je al je bekenden tegen. Allemaal grappenmakers:

'Wat lief van je.'

'Zeg het met bloemen.'

'Knaapje zag een roosje staan.'

Dat soort opmerkingen.

Ik was ruim vóór de afgesproken tijd bij het restaurant en verstopte ze snel onder de tafel. De cheffin zei,

'Geef maar, dan zet ik ze in het water.'

'Dat hoeft niet... echt niet.'

Toen ze vroeg of ik wat wilde drinken, zei ik,

'Een biertje... nee... ik bedoel... een cola.'

Het zweet gutste langs mijn lichaam.

Ann zag er... schitterend uit. Geen ander woord voor. Ik merkte dat ik een droge mond kreeg. Ik voelde mijn hart bonken. Ik ging overeind staan. Op een toon alsof ik ineens geïnspireerd was geraakt, zei ik,

'Ann.'

Ze gaf me een stevige knuffel en deed toen een stap achteruit om me eens goed te bekijken. Ze zei,

'Die baard staat je goed.'

'Dank je.'

'Je ziet er ineens heel anders uit, en dat komt niet alleen door die baard.'

Ik pakte de bloemen, omdat ik geen flauw idee had wat ik anders moest doen. Wat was ze er blij mee!

We gingen zitten.

Ze keek voortdurend van de bloemen naar mij. Als ik onder woorden had moeten brengen hoe ik me voelde, zou ik moeten toegeven dat ik verlegen was. Bijna vijftig en dan nog verlegen. Ze zei,

'Ik word er een beetje verlegen van.'

'Ik ook.'

'Echt waar, Jack? Daar ben ik blij om.'

Toen de serveerster kwam, bestelden we een berg

Chow Mein
Dim Sum
Koe Loe Yoek.

Waarna de serveerster vroeg,

‘Wat wilt u drinken?’

Ik reageerde meteen en zei,

‘Nog een cola, graag... Ann?’

‘Ook maar een cola.’

Toen ze wegliep, zei Ann,

‘Nu zie ik het. Het zijn je ogen... ze zijn wit.’

‘Wit?’

‘Nee... ik bedoel, helder.’

‘Geeft niet, ik snap wat je bedoelt.’

Stilte. Toen zei ze,

‘Moet ik vragen of... of zullen we maar gewoon beginnen?’

‘Het is voor mij ook de eerste keer, maar vraag het maar als je wilt.’

‘Is het moeilijk?’

‘Niet echt.’

Even later kwam het eten en stortten we ons op de verschillende gerechten. Ik vond het fijn om te zien hoe ze at. Ze had in de gaten dat ik zat te kijken en vroeg,

‘Wat is er?’

‘Ik vind het fijn om te zien hoe je eet.’

‘Is dat een goed teken?’

‘Ik dacht van wel.’

Na afloop wandelden we samen door Quay Street. Ze gaf me een arm. Een arm geven scoort hoog op de lijst van aardige gebaren. We bleven voor Jury's bar staan. Ze zei,

'Ik moet naar het kerkhof. Daar ga ik elke dag naar toe. Van een mooie dag als deze wil ik samen met Sarah genieten.'

'Ik ga met je mee.'

'Wil je dat?'

'Ik zou het een voorrecht vinden.'

In Dominick Street hielden we een taxi aan. We zaten amper toen de chauffeur vroeg,

'Heeft u gehoord wat er op het plein is gebeurd?'

Ann zei,

'Ja, dat is toch vreselijk?'

Ik zei niets. De chauffeur was het natuurlijk niet met Ann eens en zei,

'De mensen hebben genoeg van het slappe optreden van de politie en de lakse houding van de rechters. Ze zijn het zat.'

Dat schoot bij Ann in het verkeerde keelgat. Ze zei,

'U gaat hoop ik toch niet zitten goedpraten wat er gebeurd is?'

'Moet u luisteren, mevrouw, als je die types ziet die daar 's nachts rondscharrelen en wat ze daar allemaal uitvreten, dan...'

'Maar om iemand in brand te steken.'

'Dat deden die gasten toch zelf ook met die dronkaards? Dat weet zelfs de politie.'

'Maar dan nog.'

'Met alle respect, mevrouw, maar stel dat het *uw* kind was dat iets overkwam.'

RECEPT VOOR DE OPVOEDING VAN EEN DICHTER:

'Zoveel neurose toedienen als het kind kan verdragen.'

W.H. Auden

We liepen zwijgend naar het graf van Sarah. Ze had mijn arm losgelaten.

Jammer genoeg. Net nu ik er zo'n behoefte aan had. Zo zijn Ieren nu eenmaal.

Het graf was opvallend goed onderhouden. Een eenvoudig houten kruis met haar naam erop. Eromheen lagen allemaal

Beren
Snoopy
Snoep
Armbandjes.

Alles netjes uitgestald.

Ann zei,

'Dat doen haar vriendinnen. Die brengen altijd van alles voor haar mee.'

Dat was, geloof ik, de meest hartverscheurende opmerking die ik ooit heb gehoord. Ik zei,

'Ann, geef haar de rozen maar.'

Ze keek me stralend aan.

'Meen je dat echt, Jack? Ze houdt... hield van rozen. Ik heb nog steeds moeite met de tijd. Hoe kan ik alleen maar in de verleden tijd over haar praten?'

Ze legde de rozen voorzichtig neer en ging naast het kruis zitten. Ze zei,

'Ik laat *DICHTERES* op de steen zetten. Meer niet. Ze wilde zo graag dichteres worden.'

Ik wist niet precies welke omgangsvormen je in acht moest nemen als er doden in de buurt waren. Moest ik knielen of gaan zitten? Toen drong het tot me door dat Ann tegen haar dochter praatte. Haar zachte, vriendelijke toon veroorzaakte een trilling in mijn ziel.

Ik stapte achteruit. Ik liep bij het graf weg en botste bijna tegen een ouder echtpaar op. Ze zeiden,

'Lekker weertje, niet?'

Jezus. Ik liep door tot ik bij het graf van mijn vader kwam. Ik zei,

'Pa, ik ben hier omdat ik even niets anders te doen had. Maar geldt dat eigenlijk niet voor ons allemaal?'

Er was geen twijfel mogelijk: ik stond te raaskallen. Als Sutton me zag, zou hij me, desnoods met geweld, dwingen om weer te gaan drinken. De grafsteen was inmiddels geplaatst en dat is nog het ergste. Dat is zo definitief, daar valt niets meer aan te doen. Als er alleen maar een eenvoudig kruis staat, is dat tenminste nog tijdelijk.

Ann kwam achter me staan en vroeg,

'Je vader?'

Ik knikte.

'Hield je van hem?'

'Ja, heel veel.'

'Wat was hij voor iemand?'

'Ik heb nooit willen worden zoals hij, maar ik wilde dat de mensen me aardig vonden op de manier waarop ze hem ook aardig vonden.'

'Wat deed hij voor werk?'

'Hij was bij de spoorwegen. In die tijd was dat nog niet eens zo'n slechte baan. Iedere avond pakte hij, zo rond een uur of negen, zijn pet en ging de deur uit om een paar pints te drinken. Twee pints. Er waren ook avonden bij dat hij gewoon thuisbleef. Je kunt erachter komen of je alcoholist bent: als je iedere dag twee pints drinkt en het daarbij laat, ben je géén alcoholist. Ik wacht liever een hele week en neem er dan op vrijdag veertien.'

Ze glimlachte onzeker.

Ik kon nu niet meer ophouden. Ik raasde aan een stuk door.

'Toen ik bij de politie ging, zei hij daar niets van, alleen maar "Let op dat je er niet door aan de drank raakt". Toen ze me eruit gooiden, zei hij "Je manier van vertrekken past beter bij je dan je successen van vroeger". Toen ik nog in Templemore zat, heeft een instructeur ooit gezegd "We kunnen rustig aannemen dat Taylor een mooie toekomst achter zich heeft liggen". Echt wat je noemt een 'toffe gozer', die vent. Hij werkt nu als veiligheidsfunctionaris voor de taoiseach, dus hij heeft z'n trekken thuis gekregen. Mijn vader las graag, hij had het altijd over de macht van het gedrukte woord. Toen hij dood was, werd ik door een vent op straat staande gehouden. Hij zei,

'"Je vader was een boekengek." Dat had ik op z'n grafsteen moeten zetten. Daar zou hij blij mee geweest zijn.'

Daarna was ik zowat op. Nog een paar losse opmerkingen en dan naar huis strompelen. Ik zei,

'Ik heb een vriend, Sutton heet hij. Hij droeg vroeger een T-shirt waarop stond:

ALS ARROGANTIE EEN ZEGEN IS,
DAN BEN IK DE HEILIGE STAD.

Ann snapte het niet. Ze zei,

'Dat begrijp ik niet.'

'Je zou hem ook niet begrijpen. Ik geloof dat ik hem zelf ook niet begrijp.'

Ann vroeg of ik zin had om mee naar haar huis te gaan. Ik zei,

'Tuurlijk.'

Ze woonde in Newcastle Park. Vlak bij het ziekenhuis. De weg die naar het mortuarium loopt, heet Mass Path. Je kunt daar niet vaak genoeg langslopen.

Het huis was modern, helder, schoon en gezellig. Het zag er echt bewoond uit. Ze zei,

'Ik zal wat te eten voor ons maken.'

En dat deed ze: even later kwam ze met een blad vol sandwiches. Van die lekkere ouderwetse, dikgesneden boterhammen met een knapperige korst en dik belegd met ham, tomaat en een dikke laag boter. Ik zei,

'Dat ziet er prima uit.'

'Ik haal m'n brood bij Griffin. De winkel is altijd stampvol.'

Na een tweede kop thee zei ik,

'Ann, ik moet met je praten.'

'Dat klinkt onheilspellend.'

'Het gaat over het onderzoek.'

'Je hebt geld nodig. Geen probleem, ik heb nog wel wat.'

'Ga zitten. Ik heb geen geld nodig. Ik heb een... medisch voordeeltje gehad, dus maak je daar maar geen zorgen over. Luister, als ik je zou vertellen dat de man die verantwoordelijk is voor de dood van Sarah dood was, zou dat je genoeg voldoening schenken om het er verder bij te laten?'

'Wat bedoel je? Is hij dood?'

'Ja.'

Ze ging staan en zei,

'Maar dat weet verder niemand. Ik bedoel, ze staat nog steeds te boek als een zelfmoordgeval. Ik kan haar vriendinnen en haar school niet in de waan laten dat dat ook zo is.'

'Oké.'

'Oké? Wat bedoel je daarmee, Jack? Kun je bewijzen wat er gebeurd is?'

'Dat weet ik niet.'

Want dat hield in dat ik achter Planter aan moest. Als ze met mijn voorstel had ingestemd, zou ik het onderzoek verder hebben laten rusten.

Denk ik.

Maar dan zou Sutton er alleen mee doorgegaan zijn. Ik had dus eigenlijk niet veel keus.

"Ik predik geen moraal.
Ik laat me zoveel mogelijk leiden
door mijn eigen zenuwen."

Francis Bacon

Later die avond gingen we naar bed. Ik was doodnerveus. Ik zei tegen haar,

'Ik geloof niet dat ik ooit nuchter heb gevreeën.'

'Het gaat veel beter als je nuchter bent, let maar op.'

Daar had ze gelijk in.

Tegen middernacht kleedde ik me aan. Ann vroeg,

'Waarom blijf je niet?'

'Nog niet.'

'Oké.'

Ze kwam het bed uit en liep de kamer uit. Even later kwam ze met iets terug. Ze zei,

'Ik wil dat je hier even naar kijkt.'

'Tuurlijk.'

'Het is Sarahs dagboek.'

Ze overhandigde me een roze, in leer gebonden boek. Ik voelde dat mijn lichaam zich verzette en zei,

'Jezus, Ann, dat kan ik niet.'

'Waarom niet?'

'Ik kan toch niet in het dagboek van een tiener gaan zitten lezen... Dat kan toch niet?'

'Waarom niet? Dan krijg je tenminste een idee wat voor iemand ze is... was. Toe nou.'

'God, dit wil ik eigenlijk helemaal niet.'

Ik kon niet tegen haar zeggen dat er niets was waardoor ik sneller naar de fles zou grijpen dan dat. Een blik werpen in de gedachtewereld van een dood meisje.

Ann hield het nog steeds voor mijn neus. Ik zei,

'Ik zal het proberen. Ik kan je niet beloven dat ik het kan, maar ik zal een poging wagen.'

Ze sloeg een arm om me heen en gaf me een zoen in mijn hals. Ze zei,

'Bedankt, Jack.'

Onderweg naar huis voelde ik het dagboek als een loden last in mijn binnenzak. Ik wilde Cathy B. bellen en haar vragen of zij het wilde lezen. Maar ik kon het haar niet zomaar geven. Dat zou Ann nooit goed vinden. Ik vloekte als een ketter. Binnen tien minuten was ik thuis. Ik legde het onder mijn bed, zodat ik het niet meteen zou zien als ik wakker werd. En er 's nachts in gaan zitten lezen was helemaal ondenkbaar.

De volgende morgen nam ik een douche, dronk koffie en besloot vervolgens om het erop te wagen.

De band was aardig versleten, het roze leer was gerafeld door het vele gebruik. Binnenin stond:

Dit dagboek is het eigendom van
Sarah Henderson,
Dichteres,
Ierland
Het is STRIKT PERSOONLIJK
Dus niet stiekem kijken, Mam!

Jezuschristus! Nog erger dan ik dacht.

Ik zette mijn verstand op nul en probeerde het opnieuw. Het grootste deel van de inhoud was voorspelbaar. School, vriendinnen, muziek, kleding, afvallen, verliefdheden.

Daar kon ik nog wel doorheen komen, maar nu en dan stond er zoiets als

Mam zegt dat ik met Kerst een
mobiel krijg.
Ze is de allerallerliefste moeder
van de hele wereld.

En wilde ik gaan gillen.

Ik bladerde tot ik bij het gedeelte kwam waarin ze over haar deeltijdbaan bij Planter schreef.

Meneer Ford is een akelige man.
De meiden plagen hem allemaal achter zijn rug.
Echt een rare vent.

Daarna veranderde de toon. Ze maakte nu een meer opgewonden, uitgelaten indruk. Het leek of iets of iemand haar in vervoering had gebracht.

Bart vroeg of hij me thuis mocht brengen.
Zijn auto is echt gaaf. Ik ben gek op hem.

Daarna nog meer Bart... alleen zijn naam... of een hart met Bart en Sarah... bladzijdenlang.

De laatste notitie:

Ik kan niet doorgaan met dit dagboek.
Bart vindt het kinderachtig. Hij heeft
me een gouden armband beloofd als ik
vrijdag met hem mee naar het feest ga.

Ik liep naar de telefoon en belde Cathy. Ze zei,

'Waar ben jij verdomme de hele tijd geweest?'

'Ik heb in stilte aan het onderzoek gewerkt.'

'Stilletjes aan de drank geweest, zeker.'

'Dat ook, ja.'

'Ik neem aan dat je wat van me wilt?'

'Een kleinigheid maar.'

'Dat zal wel.'

'Heb je bij jouw onderzoek naar Planter aantekeningen gemaakt?'

'Tuurlijk.'

'Goed zo. Hoe heet-ie met zijn voornaam?'

'Moet ik even opzoeken.'

En even later,

'Hebbes, even kijken waar... o ja, hier staat het... Bart... Bartholomew.'

'Fantastisch!'

'Niet ophangen. Luister, ik heb een optreden.'

'Geweldig. Wanneer?'

'Komende zaterdag, in de Róisín. Kom je ook?'

'Zeker weten. Mag ik ook gasten meebrengen?'

'Graag. Liefst een paar honderd.'

EEN KLAAGZANG UIT GALWAY

De hele maand april keek je toe
en sprak over
geduld en onthouding.
Je noemde het...
standvastigheid.

De meeste bekende artiesten hebben wel eens in de Róisín Dubh opgetreden. Er heerst nog steeds een intieme sfeer. Lees: je voelt je er als haringen in een ton. Ann had een kort leren jasje en een gebleekte spijkerbroek aan. Ze droeg haar haar in een staart. Ik zei,

'Dat is nog eens uitgaanskleding.'

'Zie ik er goed uit?'

'Te gek.'

Zelf hield ik het op zwart. Een trui en een ribbroek in die kleur. Ann zei,

'Je lijkt net een pastoor op non-actief.'

'Zie ik eruit of ik een zuster wil aanranden?'

'Nee, non-actief zoals in... opgebrand en uitgeblust.'

'Hm... daar kunnen we misschien wel iets aan doen.'

We drongen naar voren door de menigte, tot vlak bij het toneel. Ik zei,

'Ik ga even kijken hoe het met Cathy gaat.'

'Denk je dat ze last heeft van plankenkoorts?'

'Nee, maar ik wel.'

Cathy zat in een kleedkamertje en zei,

'Ik wist dat je zou komen.'

'O ja?'

'Tuurlijk. Ouwe kerels als jij doen soms nog de gekste dingen. Hier...'

Ze duwde een glas mijn kant uit. Een dubbele, nee, een driedubbele van het een of ander. Ik vroeg,

'Wat is dat?'

'Jack... achternaam Daniels. Om in de stemming te komen.'

'Nee, dank je.'

'Wát?'

'Ik drink niet meer.'

Ze draaide zich om en zei,

'Wat maak je me nou wijs?'

'Al een paar dagen niet meer. Ik probeer het vol te houden.'

'Te gek!'

Ik zou er mijn rechterhand voor over hebben gehad. Het leek of het licht op het glas viel en de inhoud deed glinsteren. Ik keek de andere kant op. Cathy vroeg,

'En die baard? Waar is dat voor?'

'Zomaar.'

'Een typisch Iers antwoord. Daar word ik niet wijzer van. Ga nu maar... ik moet me concentreren.'

Ik boog me voorover en zoende haar op haar hoofd. Ik zei,

'Jij bent de ster van de avond.'

Ann stond met drankjes op me te wachten. Ze zei,

'Cola... nam ik tenminste aan.'

'Cola is prima.'

Een stuk of wat mensen riepen hallo, gaven commentaar op mijn baard en namen Ann nauwkeurig op. Op het moment dat de lichten uitgingen, meende ik dat ik Sutton in de buurt van de bar zag.

Cathy kwam het toneel op. De menigte werd doodstil. Ze zei,

'Hallo.'

'Van hetzelfde.'

En begon meteen aan een punkversie van 'Galway Bay'. Het had hetzelfde effect als Sid Vicious' versie van 'My Way', met het verschil dat Cathy wel kon zingen. Het lied gaf me weer dat gevoel van ontroering dat ik meende te zijn kwijtgeraakt doordat ik het in de loop der jaren zo vaak had gehoord. Ze ging verder met 'Powderfinger' van Neil Young.

Ze beschikte over een breed repertoire, van Chrissie Hynde tot Alison Moyet. Ze besloot met een snelle versie van 'Misguided Angel' van Margo Timmins. Daarna verdween ze van het toneel. Oorverdovend applaus, gefluit, geroep om meer. Ik zei tegen Ann,

'Ze doet geen toegift.'

'Waarom niet?'

'Ze heeft niets meer. We hebben haar hele repertoire gehoord.'

En dat bleek ook zo te zijn.

De lichten gingen aan. Er hing een vriendschappelijke sfeer in de zaal. Ann zei,

'Geweldig. Wat een stem.'

'Nog wat drinken? Maar dan echt. Ik neem zelf niets.'

'Witte wijn.'

'Oké.'

Toen ik me van de bar omdraaide en terugliep, versperde Sutton me de weg. Hij keek naar het glas en zei,

'Wijn? Nou ja, om te beginnen.'

'Het is voor iemand anders.'

'Dat zal best. Die Engelse griet kan er trouwens wat van. Volgens mij is ze ook nog een beest in bed.'

'Ze is jouw type niet.'

'Ze zijn allemaal mijn type. Herinner je je onze meneer Planter nog?'

'Jazeker.'

'Hij heeft belangstelling voor kunst. Hij hangt graag de verzamelaar uit.'

'Heb je met hem gesproken?'

'Prima vent. Ik heb morgen om twaalf uur een afspraak met hem. Als je wilt, kun je mee als mijn assistent.'

'Wat ben je van plan?'

'De klootzak te grazen nemen. Ik kom je om halftwaalf ophalen, Jack.'

Ik gaf Ann haar wijn en zei,

'Ik ga nog even afscheid nemen van Cathy.'

'Zeg maar dat ze geweldig was.'

Geweldig: het mooiste compliment dat je in Galway kunt krijgen. Cathy's kleedkamer stond stampvol bewonderaars. Ze stond te blozen. Haar ogen schitterden. Ik zei,

'Je was fantastisch.'

'Dank je wel, Jack.'

'Ik ga er nu gauw vandoor, want jij hebt het druk genoeg met al die mensen hier. Maar ik wilde het je toch even laten weten.'

'Je moet die baard laten staan.'

'Vind je?'

'Ja. Door die baard lijkt het net of je karakter hebt.'

Er was eens een slang, die zo vaak mensen had gebeten, dat bijna niemand zich meer buiten durfde te wagen.

Ten slotte lukte het de Meester om de slang te temmen. Hierna werd het dier door de mensen met stenen bekogeld en aan zijn staart door de straten gesleept.

De slang deed zijn beklag bij de Meester, die zei, 'Je jaagt de mensen geen vrees meer aan, en dat is niet goed.'

De woedende slang antwoordde,

'U heeft me gezegd dat ik geweldloosheid moet beoefenen.'

'Nee, ik heb gezegd dat je niemand pijn moet doen – niet dat je moet ophouden met sissen.'

De volgende morgen maakte ik zowaar een ontbijt. Niet misselijk zijn, geen kater hebben: een vreemde ervaring. Mijn gezicht begon weer beter te worden en de baard deed de rest. Ik bakte een heleboel eieren en sneed een dik stuk brood. Ik was bij Griffin geweest.

Een volle mok thee en ik was zover. Er werd gebeld. Ik zei,

'Verdomme.'

Het was Sutton. Ik zei,

'Jezus, wat kom je zo vroeg doen?'

'Ik ben niet naar bed geweest.'

'Kom binnen, ik heb net het ontbijt klaar.'

Hij liep achter me aan naar binnen en ik pakte nog een bord. Hij zei,

'Geen vast voedsel, graag.'

'Ik heb alleen maar goedkope Scotch.'

'Ik hoef geen duur spul. Giet er maar koffie bij, dan krijgt het wat kleur.'

Mijn eieren waren ondertussen koud geworden. Nadat ik de koffie en de fles Scotch voor hem had neergezet, wees hij naar mijn bord en zei,

'Je gaat me toch niet vertellen dat je dat gaat opeten.'

'Nee, nu niet. Ik heb een fetisj met eten, ik wil graag dat het nog een beetje warm is als ik eraan begin.'

'Oeps... merk ik hier een lichte irritatie?'

Hij keek de flat rond en zei,

'Ik zou hier best gelukkig zijn.'

'Watte?'

'Ik was pas geleden hier, maar toen was jij aan de boemel. Ik heb even met Laura, je buurvrouw, staan praten.'

‘Linda.’

‘Zoiets. Een boerentrien, maar zo gehaaid als de pest. En ik natuurlijk m’n best doen om haar plat te lullen. Niet letterlijk, natuurlijk. Toen ze er achter kwam dat ik kunstschilder ben, bood ze me jouw flat aan.’

‘Bood ze je wát aan?’

‘Echoot het hier zo? Ja, ze zei dat jij ging verhuizen en dat ze een geschikte huurder zocht.’

‘Teringteef.’

‘De aantrekkingskracht van de kunst, zullen we maar zeggen.’

‘Meen je dat echt, ga je hier echt intrekken?’

Hij ging staan, slurpte van zijn koffie en keek me stomverbaasd aan. Hij zei,

‘Beste vriend, denk je dat ik jou ga lopen verneuken? Jij bent mijn steun en toeverlaat. We moesten maar eens opstappen, de kunst roept.’

Voor de deur stond een aftandse VW Golf geparkeerd. Een lichtgele. Ik zei,

‘Zeg dat het niet waar is.’

‘Ja, hoor. De Volvo is helemaal naar de kloten. Ik heb deze moeten lenen.’

‘Ze zien ons aankomen. Letterlijk.’

‘Vanzelfsprekend.’

Planter woonde in Oughterard. Zijn huis stond aan het begin van het dorp. ‘Huis’ is eigenlijk niet het goede woord. Het was duidelijk dat hij te vaak naar Dallas had gekeken en besloten had om een Ierse versie van Southfork voor zichzelf te bouwen. Ik zei,

‘Jezus.’

'Maar maakt het ook indruk?'

Een lange oprijlaan met bomen aan weerszijden, en toen het huis zelf. Van dichtbij nog opzichtiger. Sutton zei,

'Ik doe het woord wel.'

'Voor de verandering, zeker?'

Hij belde aan. Ik zag dat er boven ieder portaal een bewakingscamera hing. De deur ging open en een jonge vrouw in een dienstmeisjesuniform vroeg,

'*¿Qué?*'

Er verscheen een duivelse glimlach op Suttons gezicht. Hij zei,

'*Buenos días, señorita*, ik ben *señor* Sutton, *el artista*.'

Ze begon nerveus te giechelen en gebaarde dat we binnen moesten komen. Ik keek naar Sutton en vroeg,

'Spreek jij Spaans?'

'*No problema.*'

Ze ging ons voor naar een overdreven chic ingerichte studeerkamer en zei,

'*Momento, por favor.*'

Aan iedere muur hingen schilderijen. Sutton bekeek ze nauwkeurig en zei,

'Dat is niet mis, wat hier hangt.'

Een stem zei,

'Fijn dat het uw goedkeuring kan wegdragen.'

We draaiden ons om.

Planter stond in de deuropening. Ik weet niet wat ik had verwacht, maar, afgaande op zijn huis, zijn bedrijf en zijn reputatie, had ik me een forse kerel voorgesteld. Dat was hij niet. Hoogstens een meter vijfenzeventig, bijna kaal, een gezicht vol rimpels. Hij had donkere ogen, waaraan weinig viel af te lezen, en droeg een trui met het logo van een poloclub en een erg versleten ribbroek. Ik durfde wedden dat hij er, als hij de deur uit ging, ook nog een tot op de draad versleten Barbourjasje bij aantrok. Er werden geen handen geschud. De sfeer was er niet naar. Sutton zei,

'Ik ben Sutton en dit is Jack, mijn assistent.'

Planter knikte en vroeg,

'Willen jullie iets drinken?'

Hij klapte in zijn handen en het dienstmeisje kwam weer binnen. Sutton zei,

'Dos cervezas.'

We bleven zwijgend staan tot ze met de twee flesjes bier op een dienblad terugkwam. Sutton pakte allebei de flesjes en zei,

'Jack hoeft niet. Ik betaal hem niet om te drinken.'

Planter glimlachte even en zei,

'Gaat u zitten.'

Hij liep naar een leren leunstoel. Ik keek of zijn voeten de grond raakten. Sutton ging tegenover hem zitten en ik bleef staan. Planter zei,

'Ik bewonder uw werk al enige tijd. Het idee om u een opdracht te geven spreekt me wel aan.'

Sutton had ondertussen een flesje bier leeggedronken. Hij liet een boer en zei,

'Wat dacht u van een portret?'

'Bent u ook portretschilder?'

'Nog niet, maar nog een paar biertjes en ik schilder Timboektoe.'

Planter stoorde zich niet aan Suttons manieren. Integendeel, hij leek zich kostelijk te amuseren en zei,

'Dat geloof ik graag. Ik dacht eigenlijk aan een landschap.'

Ik zei,

'Of een zeegezicht misschien?'

Hij leek even in de war gebracht en moest zich omdraaien om mij aan te kijken. Hij vroeg,

'Wat zei u?'

'De zee, Bartholomew, als ik je tenminste zo mag noemen. Wat dacht je van Nimmo's Pier, om je geheugen een beetje op te frissen?'

Hij ging staan en zei,

'Ik heb liever dat u nu weggaat.'

Sutton zei,

'Ik lust nog wel een biertje.'

'Zal ik iemand roepen?'

Ik zei,

'Nee, we komen er zelf wel uit. Maar we houden contact. We moeten nog eens verder praten over Nimmo's Pier.'

Ik mis een heleboel dingen
maar het meest van al
mis ik mezelf.

Toen we bij Planter buiten stonden, zei ik tegen Sutton,

'Geef mij de sleutels.'

'Ik kan zelf rijden.'

'Stel dat die klootzak de politie belt, wat dan?'

Ik ben nooit een goede chauffeur geweest. Met mijn linkerhand in het verband was ik een gevaar op de weg. Maar altijd nog beter dan een halfdronken Sutton achter het stuur. Ik liet de versnelling een paar keer knarsen en Sutton brulde,

'Zo gaat de koppeling naar de kloten.'

'Je zei dat je hem geleend had.'

'Geleend ja, hij moet dus weer terug.'

Ik reed langzaam en probeerde het ongeduld van de andere weggebruikers te negeren. Sutton zei,

'Dat heb je dus mooi verknald.'

'Hoe bedoel je?'

'Planter! Ik dacht dat we hadden afgesproken dat jij je mond zou houden.'

'Ik ben niet geschikt om voor assistent te spelen.'

'Ik had hem eerst uit z'n tent willen lokken. Z'n hersens op hol brengen.'

'Dat is aardig gelukt. Alleen wat eerder dan je gedacht had.'

'Wat gaan we nu doen?'

'Afwachten.'

'Meer niet?'

'Ik zei niet dat het een goed idee was, maar ik weet nu even niets anders.'

Ten slotte waren we weer in Galway. Sutton was in slaap gesukkeld. Ik gaf hem een por en hij schrok wakker. Hij zei,

'Godverdomme! Wat...?'

'Rustig maar, we zijn terug in de stad.'

'Ik heb vreselijk gedroomd. Hitchcock zou er trots op zijn geweest. Ik heb een smaak in mijn bek of ik aan een lijk heb liggen kluiven.'

'Loop even mee naar binnen, dan kun je een douche nemen.'

'Nee, ik duik meteen m'n nest in.'

Ik stapte uit en wachtte. Sutton had zichzelf nu weer een beetje in de hand en zei,

'Jack, je zult me toch nooit verlinken, hè?'

'Wat?'

'Want dat zou ik vervelend vinden. We zitten samen in hetzelfde schuitje, jij en ik.'

'Bij wie zou ik je moeten verlinken?'

'Bij de politie. Je weet wat ze zeggen: eens een garda, altijd een garda! Wie zegt me dat je niet bij je oude maats wilt scoren.'

'Dat is gekkenpraat.'

Hij keek me lang aan en zei toen,

'Je begint al aardig op een klein burgermannetje te lijken, dat weet je zelf ook. Vroeger zoop je als een dragonder, maar toen was je tenminste nog voorspelbaar.'

'Ga asjeblieft pitten.'

'Probeer er asjeblieft achter te komen wat je precies wilt, Jack.'

Hij schakelde in en stortte zich in het verkeer. Ik ging naar binnen en probeerde nogmaals een ontbijt klaar te maken. Maar mijn hoofd stond er niet naar. Ik nam alleen koffie en liet me in een stoel zakken. Ik dacht na over wat hij gezegd had en vroeg me af of er misschien niet een kern van waarheid in zijn beschuldigingen zat. Ik hoefde maar één keer iets te drinken om mijn goede voornemens naar de bliksem te helpen. En al het andere ook.

Ik dacht na over Planter, maar ik zag geen enkele mogelijkheid om te bewijzen dat hij verantwoordelijk was voor de dood van Sarah. En binnenkort zou ik ook mijn flat uit moeten. Als ik als dakloze door het leven moest, had ik in elk geval al de baard ervoor.

De dagen daarop hoorde ik niets van Sutton. Ik ging bij de Skeffington Arms kijken, maar daar was hij ook niet. Ik liep naar Grogan, waar Sean me van echte koffie voorzag. Ik vroeg,

'Wat? Zonder koekjes?'

'Die heb je nu niet meer nodig.'

'Sean.'

'Ja?'

'Hoe lang ken je me nu al?'

'Heel lang.'

'Precies. Je hebt me op allerlei manieren meegemaakt.'

'Zeg dat wel.'

'Dus, als het er op aan komt ken jij me beter dan wie ook.'

'Maar al te waar.'

'Ben ik volgens jou een matennaaier?'

Als de vraag hem al verbaasd had, was dat in ieder geval niet aan hem te merken. Het leek of hij serieus over een antwoord nadacht. Ik had verwacht dat hij meteen 'natuurlijk niet' zou zeggen. Na een hele tijd keek hij me recht in de ogen en zei,

'Tja, wat zal ik zeggen? Je bent tenslotte politieman geweest.'

En soms heb ik
zomaar
je hand vastgehouden

In werkelijkheid staat de tijd stil. Wij zijn degenen die verglijden. Ik weet niet waarom, maar dat is een van de droevigste dingen die ik ooit geleerd heb. En met 'geleerd' bedoel ik: door schade en schande wijs geworden.

De grootste tekortkoming van een alcoholist is zijn volstrekte weigering om lessen te trekken uit het verleden.

Wat ik mij van mijn eigen verleden herinnerde was dat, als ik dronk, de chaos compleet was. Ik maakte me geen enkele illusie meer. En toch: ik zou er alles voor over hebben gehad om een fles whiskey open te trekken en me het lazarus te zuipen. Of een heleboel pints naar binnen te werken. Als ik mijn ogen dichtdeed, zag ik een tafel. Van hout, natuurlijk. En op die tafel een hele rij pints vol romige Guinness die me verwelkomden. Met een schuimkraagje... perfect getapt.

Ik ging overeind staan en probeerde het van me af te zetten. Hier ging ik aan kapot. Galway is een heerlijke stad om te wandelen. De meeste mensen lopen over de promenade. Vroeger hielden alleen de mensen uit Galway zelf er een bepaald ritueel op na: je begon op Grattan Road, en liep dan langs de Seapoint. Daar bleef je even staan en hoorde dan in gedachten de muziek van al die showbands van vroeger:

The Royal
The Dixies
The Hoedowners
The Miami.

Ik weet niet of we toen in een minder gecompliceerde tijd leefden, maar alles was toen wel een stuk eenvoudiger. Je had niet de kans dat middenin een jive je mobieltje begon te rinkelen en een einde maakte aan de betovering. Daarna liep je verder, langs Claude Toft, en over het strand verder tot je bij Blackrock kwam. Daarna begon het echte ritueel: je ging voor de rots staan en raakte hem even aan met de punt van je schoen.

Maar dat is nu algemeen bekend. Zelfs de Japanners geven de rots tegenwoordig een halve karatetrap.

Ik misgun het ze niet, maar op de een of andere manier is het ritueel niet meer wat het was.

Ga zelf maar kijken.

Ik liep de stad in en besloot eerst een dosis cafeïne te nemen voor ik aan mijn tocht begon.

Zolang ik me kan herinneren, hebben er altijd twee mannen aan de bar gezeten. Het geeft niet hoe laat je binnenkomt, ze zitten er altijd bij als twee wachters op de muren van Sion, ieder op een kruk. Altijd hetzelfde duo. Ze dragen petten, jekkers en terlenkabroeken. Ze zitten nooit naast elkaar, maar altijd aan verschillende kanten van de bar. Ik durf te wedden dat ze elkaar niet eens kennen.

Nu komt het.

Het doet er niet toe hoe je op die kerels afloopt of van welke kant je komt, het is altijd hetzelfde. Er staan altijd twee pints met Guinness, allebei halfvol. Een krankjorum soort synchroniciteit. Dat kun je niet van tevoren plannen. Als ik hier op een dag binnenkom en zie dat de glazen vol zijn, of zelfs leeg, dan weet ik dat er iets blijvend veranderd is.

Terwijl ik naar mijn vaste plek liep, keek ik even of

het weer zo was. En ja hoor, de twee zaten er, ieder met een halfvol glas.

Er viel die ochtend met Sean geen land te bezeilen. Hij zette, zonder een woord te zeggen, de koffie met een klap op tafel. Ik zei,

'Ook goeiemorgen.'

'Hou je grote bek.'

Na deze terechte reprimande nam ik een slokje van de koffie. Lauw, maar het leek me niet het juiste moment om daar wat van te zeggen. Ik wierp een snelle blik in de krant. Las dat de gardaí geen deel zouden gaan uitmaken van een nieuw te vormen Europese politiemacht omdat ze geen wapens droegen. Er kwam iemand aanlopen. Het was een vent die ik vaag kende. Hij vroeg,

'Kan ik even met je praten, Jack?'

'Tuurlijk, ga zitten.'

'Ik weet niet of je nog weet wie ik ben. Ik ben Phil Joyce.'

'Natuurlijk ken ik je nog.'

Niet dus.

Hij ging zitten, haalde shag en vloeitjes tevoorschijn en vroeg,

'Geen bezwaar, hoop ik.'

'Ga rustig je gang.'

Wat hij vervolgens ook deed.

Hij was een fanatieke roker. Hij inhaleerde de nicotine met zoveel kracht dat zijn jukbeenderen uitpuilden. Hij blies de rook met een diepe zucht uit. Het viel niet te zeggen of dit voor hem een genot of een kwelling was. Hij zei,

'Ik ken je nog uit de tijd dat je achter de meiden aanzat.'

Dat waren nog eens tijden. Tegenwoordig doet bijna niemand dat meer. Als je toen scoorde, ging je met je meisje naar de bioscoop, of samen met haar wandelen. En als je geluk had, mocht je zomaar haar hand vasthouden. Tegenwoordig heet zoiets 'een relatie hebben' en krijg je te maken met allerlei valkuilen, zoals

meningsverschillen
machtsverhoudingen
en
het kind in jezelf.

Het enige wat tegenwoordig nog gescoord wordt, is cocaïne.

En je bracht tegenwoordig ook geen bloemen meer mee, maar een therapeut. Hij zei,

'Ik hoorde dat je van de drank af bent.'

'Zo'n beetje.'

'Heel goed. Kan ik jou opgeven als referentie?'

'Waarvoor?'

'Voor m'n sollicitatie bij de posterijen.'

'Natuurlijk, maar ik weet niet of ik wel de goede keus ben.'

'Dat maakt niet uit, want ik wil die baan toch niet.'

'Wat zei je?'

'Ik solliciteer alleen maar omdat de Sociale Dienst anders moeilijk gaat doen. Zolang ze maar denken dat ik moeite doe om werk te vinden is er niets aan de hand.'

'Hm... oké.'

'Fijn. Alvast bedankt.'

Hij ging er weer vandoor. Ik ging staan en maakte aanstalten om het geld voor de koffie op de tafel te leggen. Sean kwam naar me toe en vroeg,

'Waar is dat voor?'

'Voor de koffie.'

'O... ga je daar nu ineens voor betalen?'

Ik was het spuugzat en viel tegen hem uit,

'Wat héb jij godverdomme?'

'Let een beetje op je woorden, jonge vriend.'

Ik schoot langs hem heen en zei in het voorbijgaan,

'Halvegare ouwe zak dat je bent.'

Onlangs joeg een jonge New Age-achtige rugzaktoerist tijdens een mis in de kathedraal van Galway de aanwezigen de stuipen op het lijf door met een namaakpistool door het middenpad te rennen.

Hij werd opgepakt, maar later op borgtocht weer vrijgelaten. Omdat hij niet over geld beschikte, bedroeg de borg slechts 6 pence.

Buurtbewoners ontdekten later dat zijn New Age-vrienden elf ratten hadden getemd. Ze hadden alle ratten, die ze zelf in hun tenten verzorgden, een naam gegeven.

Net als die kerel in het reclamefilmpje van Carlsberg kan men zich alleen maar afvragen, 'Waarom?'

Ik liep door Quay Street. Echte Galwaynaren spreken het uit als 'kéé' en de rest zegt 'kie'. Kennelijk had de duivel een paar ribben gebroken, want de zon scheen door de wolken.

Een schaduw. Het was de aanvoerder van de groep alcoholisten. Ik kende hem als Padraig. Allerlei geruchten deden over hem de ronde. Men zei dat hij uit een goede familie kwam en dat hij

Onderwijzer
Advocaat
Neurochirurg

was geweest.

Zo lang ik hem ken, heb ik hem nooit anders meegemaakt dan verward. Zijn onsamenhangende manier van praten is doorspekt met literaire verwijzingen. Nu was hij halfdronken en zei,

'Gegroet, mijn baarddragende vriend. Mag ik aannemen dat gij, evenals ik, geniet van dit aangenaam verpozen in de late herfstzon?'

Ik glimlachte en gaf hem een paar pond. We letten geen van beiden op zijn trillende hand. Hij was ongeveer een meter vijfenzeventig lang en broodmager. Zijn vieze, witte haardos zat helemaal door de war. Zijn opgezwollen gezicht zat onder de gebarsten bloedvaten. Hij had ook een gebroken neus, zodat ik enig medeleven met hem kon hebben.

Blauwe ogen, zo blauw als maar kon... bloeddoorlopen, natuurlijk. Het netwerk van rode adertjes deed aan een kaart van de Topografische Dienst denken. Hij zei,

'Heb ik je vader soms gekend?'

'Paddy... Paddy Taylor.'

'Was hij niet een en al verfijning en goede smaak?'

'Hij had zo z'n momenten.'

'Mag men uit het gebruik van de verleden tijd afleiden dat hij inmiddels is overleden of – erger nog – naar Engeland is vertrokken?'

'Dood, hij is dood.'

Padraig begon nu luidkeels te zingen. Mijn hart draaide om in mijn lijf. Hij zong of, liever gezegd, brulde,

Blindly, blindly
at last
do we pass away.

Hij bukte om een sigarettenpeuk op te rapen, die hij met een lucifer uit een versleten doosje aanstak. Ik keek naarstig om me heen en hoopte dat het lied was afgelopen. Hij kauwde op de peuk, blies een wolk nicotine uit en blèrde,

But man may not linger
for nowhere
finds he repose.

Hij pauzeerde even en ik maakte van de gelegenheid gebruik.

'Hou je op met zingen als ik je nog wat geef?'

Hij lachte zijn enige twee vergeelde tanden bloot. De rest van zijn gebit was blijkbaar in de strijd verloren gegaan.

'Zonder meer.'

Ik gaf hem nog een pond. Hij bekeek het muntstuk aan alle kanten en zei,

'Je kunt ook met euro's betalen, hoor.'

Ik liep in de richting van Claddagh. Links van mij Spanish Arch. Padraig bleef de hele tijd naast me lopen en zei,

'Jij bent niet iemand van wie je veel wijzer wordt... als je praat, bedoel ik. Je laat niet veel los, maar wat je zegt heeft alle kenmerken van beknoptheid en duidelijkheid.'

Voordat ik hier een beknopt of duidelijk antwoord op kon geven, kreeg hij een vreselijke hoestbui. Ik zag hoe hij slijm en verschillende onherkenbare substanties ophoestte. Ik gaf hem een zakdoek, die hij gebruikte om zijn tranende ogen af te vegen.

'Ik ben je veel dank verschuldigd, jonge vriend. Het is heel lang geleden dat een medepelgrim me zijn zakdoek aanbood.'

Ik zei,

'Je accent is moeilijk te plaatsen.'

'Soms merk ik het niet eens. Het is net zoiets als een vast inkomen... aan het eind van de maand is het op en dan is er ineens weer geld in overvloed.'

Hierop was geen antwoord mogelijk. Ik waagde zelfs geen poging. Hij zei,

'Er is een donkere periode in mijn bestaan geweest tijdens welke ik woonachtig was op het platteland. In het graafschap Louth, als ik me goed herinner. Ben je enigszins bekend met dat barre oord?'

'Nee.'

Ik moest me volledig concentreren om ook niet zo te gaan praten. Het werkte erg aanstekelijk. Hij zocht diep in de zakken van zijn zware wollen overjas en haalde een bruin flesje tevoorschijn.

'Wil je misschien ook een slok?'

Hij veegde de hals van de fles af met de schone kant van mijn zakdoek. Ik schudde mijn hoofd. Het scheen hem niet in het minst te deren. Hij zei,

'Voor zover ik me kan herinneren is de enige raad die ze me ooit gegeven hebben dat je beter gelukkig kunt zijn dan goed.'

'En lukt je dat?'

'Wat?'

'Gelukkig zijn?'

Hij schoot hardop in de lach.

'Het is lang geleden dat ik iets goeds heb gedaan, wat dat dan ook betekenen mag.'

Bij de muur van het voetbalveld kwam een stelletje drinkers op ons af. Padraig probeerde zich een beetje op te peppen en zei,

'Mijn volk verwacht me. Wellicht kunnen we bij een andere gelegenheid onze conversatie voortzetten.'

'Graag.'

Ik zei het niet wild enthousiast, maar toch op een toon waarin een zekere goedkeuring klonk.

Ten slotte bereikte ik Salthill en liep de promenade op. Ik dacht weer na over die twee wachters bij Grogan. Elke dag zetten ze om klokslag twaalf uur hun pet af voor het angelus, sloegen een kruis en bogen zelfs hun hoofd terwijl ze op fluistertoon zaten te bidden.

Er zijn nog maar een paar plaatsen waar je dingen uit het verleden tegenkomt. Het angelusgebed, de woonkazernes en het pandjeshuis in Quay Street waren als gevolg van de nieuwe welvaart verdwenen. Hoe erg is dat? Wie zal het zeggen? Ik weet niet eens meer hoe het gebed luidde.

Als je pas van de drank af bent, slaan je hersens op hol. Je denkt aan honderd dingen tegelijk.

Er kwamen drie jongens van amper twintig voorbij. Ze hadden blikjes Tennent Super bij zich. Ik had ze wel kunnen beroven. De geur van het bier bracht me bijna in de verleiding.

Ik was een paar boeken van Keith Ablow tegengekomen. Ablow is een praktiserend psychiater en gespecialiseerd in forensische wetenschap. Hij schreef:

> *Je hebt behoefte aan drank. Daar begint het mee. Met behoefte. En die behoefte is echt, en is er ook altijd geweest. Omdat ik iets nodig had: moed. Moed om datgene wat me te doen stond onder ogen te zien. Maar die moed had ik niet. Door de drank kun je even vergeten dat je een lafaard bent. Totdat dat 'even' voorbij is en wat je onder ogen moest zien opeens klauwen heeft gekregen en veranderd is in een monster waar je nooit mee geconfronteerd wilt worden. En dan begint dat monster drank te pissen, veel meer drank dan jij door je strot kunt gieten.*

Probeer daar maar eens iets tegen te doen.

Vergeet niet dat een van de basiswetten van de fysica leert dat iedere kracht een gelijke, tegengestelde kracht opwekt. Als je penitentie doet, slaat het systeem op hol. Het is of Satan de handschoen krijgt toegeworpen en alle duivels van de hel in al hun – denkbare en ondenkbare – verschijningsvormen naar je op zoek gaan.

De volgende dag had ik, dankzij mijn wandeling, weer nieuwe energie en besloot om met mijn hand langs de dokter te gaan.

Ik had wel een dokter, maar tijdens de jaren dat ik dronk, was het contact verloren gegaan. Toen ik een keer bij hem was om wat sterke kalmeringstabletten te halen, ging hij vreselijk tegen me tekeer.

Ik had geen idee of hij nog leefde. Ik waagde het erop en liep naar The Crescent.

The Crescent ligt halverwege de kust en de stad. De meeste dokters hebben daar hun praktijk. Zijn naambordje hing er nog steeds. Ik liep naar binnen en een jonge receptioniste vroeg,

'Wat kan ik voor u doen?'

'Ik ben hier vroeger patiënt geweest, maar ik weet niet of ik nog steeds ingeschreven sta.'

'Dan gaan we even kijken.'

Ik stond nog steeds ingeschreven.

Ze wierp een blik in mijn dossier en zei,

'Aha, u bent politieagent.'

Wanneer was ik hier voor het laatst geweest? Ze keek naar mijn baard en ik zei,

'Een stille.'

Maar dat geloofde ze geen moment. Ze zei,

'Ik zal even kijken of de dokter tijd heeft.'

Dat had hij.

Hij was een stuk ouder geworden, maar wie niet? Hij zei,

'Ze hebben je aardig te pakken gehad.'

'Klopt.'

Ik kreeg een volledig onderzoek. Hij zei,

'Het gips kan er over een paar weken af. Die neus blijf je altijd houden. Hoe staat het met de drank?'

'Ik drink niet meer.'

'Dat werd tijd ook. Tegenwoordig meten ze alcoholconsumptie in eenheden. Hoeveel eenheden per dag? Ik ben nog van de oude stempel, ik meet hoeveel ménsen er per dag aan kapotgaan.'

Ik wist niet of dit als grap bedoeld was en ging er dus maar niet op in. Toen ik wegging, zei hij,

'Het beste met je gezondheid.'

Ik ging niet naar Grogan. Ik dacht,

'Vandaag kan ik wel zonder een grote bek van Sean.'

Toen ik voor de deur van mijn flat stond, kwam ik Linda tegen. Ze herinnerde me eraan.

'Je hebt nog twee weken om iets anders te zoeken.'

Er schoot me een hele reeks antwoorden te binnen, maar ik hield het op geveinsde verwarring en zei,

'Heremetijd.'

Ik zat die avond naar Sky Sports te kijken toen de telefoon ging. Het was Ann. Ik zei zo nonchalant mogelijk,

'Hallo, schat.'

'Jack, er is iets vreselijks gebeurd.'

'Wat? Met wie?'

'Met Sean... hij is dood.'

'O mijn God!'

'Jack... Jack, ik ben in het ziekenhuis. Ze hebben hem hier naartoe gebracht.'

'Wacht daar op me. Ik kom eraan.'

Ik legde de hoorn op de haak. Ik haalde uit met mijn linkerhand en sloeg keihard tegen de muur. De pijn in mijn verbonden vingers was ondraaglijk. Ik gilde het uit. Ik sloeg nog vier of vijf keer zo hard ik kon tegen de muur en zakte toen in elkaar van de pijn. Ik schrok me rot toen ik opeens een huiveringwekkende kreet hoorde, maar het drong al gauw tot me door dat die van mezelf afkomstig was.

Ann stond me bij de ingang van het ziekenhuis op te wachten. Ze wilde me een zoen geven, maar ik wimpelde haar af. Ze zag mijn hand en vroeg,

'Wat is er gebeurd?'

'Ik ben gevallen. En voordat je het vraagt: nee, ik had niet gedronken.'

'Dat wilde ik je helemaal niet...'

Ik pakte met mijn rechterhand de hare beet en zei,

'Weet ik. Waar is hij? Wat is er gebeurd?'

'De daders zijn er meteen vandoor gegaan. Ze zeggen dat hij ter plekke is overleden.'

'Hoe weten ze dat?'

Op de vierde verdieping trof ik een dokter en twee gardaí. De dokter vroeg,

'Bent u familie?'

'Geen idee.'

De gardaí wierpen elkaar een veelzeggende blik toe. Ik vroeg,

'Mag ik even kijken?'

De dokter keek Ann aan en zei,

'Dat lijkt me niet zo'n goed idee.'

'Ken ik u ergens van?'

Hij schudde zijn hoofd en ik ging verder met,

'Dat dacht ik al, dus hoe weet u verdomme of dat een goed idee is of niet?'

Een van de gardaí zei,

'Let op je woorden.'

De dokter zei,

'Kom maar mee.'

Hij liep voor me uit de gang in en bleef voor een deur staan. Hij zei,

'Niet schrikken. We hebben nog geen tijd gehad om hem een beetje behoorlijk op te knappen.'

Ik reageerde niet.

De gordijnen rond het bed waren dichtgetrokken. De dokter wierp me nog een laatste blik toe en zei,

'Dan laat ik u nu even alleen.'

Sean lag op zijn rug. Zijn voorhoofd vertoonde zware kneuzingen. Zijn gezicht zat onder de schaafwonden. Zijn broek was gescheurd. Een van zijn magere knieën stak eruit. Hij droeg een blauwe trui, die ik hem ooit als kerstcadeau had gegeven. De trui was vuil.

Ik boog me over hem heen en tot mijn afgrijzen vielen mijn tranen op zijn voorhoofd. Ik probeerde ze eraf te vegen. Toen drukte ik een kus op zijn voorhoofd en zei,

'Ik ben van de drank af. Fantastisch, toch?'

Jij zoekt je hele leven lang
naar vluchtige contacten.
Mijn leven heeft
geen dergelijk doel.
Het heeft er geen, geen enkel.

Ann wist me ervan te overtuigen dat ik naar mijn hand moest laten kijken. Ik kreeg nieuw gips en een fikse uitbrander. De verpleegster snauwde,

'Je moet niet steeds je vingers breken.'

Nooit weg, zo'n deskundig advies. Ann wilde met me mee naar huis, maar ik maakte haar duidelijk dat ik liever even alleen wilde zijn. Ik zei,

'Ik ga niet drinken.'

'Jack toch.'

'Dat ben ik aan Sean verschuldigd.'

'Je bent het aan jezelf verschuldigd.'

Daar had ik geen antwoord op.

Ik had kans gezien om wat pijnstillers te bemachtigen. Strenge voorschriften: niet meer dan twee per dag. Toen ik thuiskwam, nam ik er drie. In minder dan geen tijd had ik het gevoel dat ik zweefde. Dat ik helemaal loskwam. Ik stapte in bed met een vage glimlach op mijn gezicht. Ik weet niet meer wat ik gedroomd heb, maar het was geen onaangename droom.

Ik werd met tegenzin wakker toen er iemand aan mijn schouder trok. Sutton stond over me heen gebogen en zei,

'Je was een heel eind weg.'

'Sutton, wat kom je godv... hoe ben je hier binnengekomen?'

Zelfs in het donker kon ik zien dat hij glimlachte. Hij zei,

'Je kent me toch, Jack? Ik kom overal binnen. Hier, ik heb koffie voor ons gezet.'

Ik ging overeind zitten. Hij duwde een mok onder mijn neus. Toen ik een slok wilde nemen, rook ik de cognac. Ik riep,

'Wat is dit godverdomme? Je hebt er drank in gedaan.'

'Om je te helpen om over de schok heen te komen. Vreselijk, wat er met Sean is gebeurd.'

Ik duwde zijn hand weg, kwam uit bed en trok een spijkerbroek aan. Sutton zei,

'Ik wacht wel even hiernaast.'

Ik liep naar de badkamer en keek in de spiegel. Mijn pupillen waren niet groter dan speldenknopjes. Ik rilde bij de gedachte aan wat er gebeurd zou zijn als ik ook nog cognac had gedronken.

Ik hield mijn hoofd onder de koude kraan en liet het water stromen. Het hielp; ik was nu een stuk minder suf. Ik liep weer naar binnen en vroeg aan Sutton,

'Wanneer heb jij het gehoord?'

'Nog maar net. Ik heb een stekkie gevonden en was eigenlijk meer bezig met de verhuizing dan met wat anders. Sorry hoor, anders was ik wel eerder gekomen.'

'Waar ga je wonen?'

'Ken je de heuvels achter de Sky Road?'

'Een klein beetje.'

'Een Amerikaan heeft daar een kast van een huis laten bouwen. Maar hij kon niet meer tegen het weer. Ik heb een contract voor een jaar. Heb je zin om bij mij in te trekken?'

'Wat? Nee... ik bedoel... bedankt voor het aanbod... ik ben meer een stadsmens.'

Mijn oog viel op een stenen kruik in de kast. Ik vroeg,

'Wat is dat?'

'Die is van mij. Hollandse jenever. Als ik straks weg ga, neem ik hem mee. Ik wilde alleen maar even kijken of alles goed met je was. Ik weet wat Sean voor je betekende.'

'Betekent!'

'Zo kun je het ook zeggen.'

We praatten nog even over Sean. Sutton zei,

'Je was... je bent echt op die ouwe knakker gesteld.'

Waarna hij ging staan en zei,

'Ik moest maar eens opstappen. Als ik iets voor je kan doen, moet je het maar zeggen... is dat duidelijk? Ik ben er voor jou altijd, makker.'

Ik knikte.

Een paar minuten later hoorde ik hem wegrijden. Ik bleef een halfuur lang roerloos zitten. Ik liet mijn hoofd hangen. Mijn hersens waren amper tot gedachten in staat. Ik draaide me langzaam om en concentreerde me op de stenen kruik. Ik durf te zweren dat hij bewoog. Dat hij langzaam mijn kant uit kwam. Ik zei hardop,

'Dat heb ik goddank niet nodig.'

Ik begon me af te vragen hoe jenever rook. Ik liep naar de kast en pakte de kruik beet. Hij was best zwaar. Ik haalde de kurk eraf en rook. Niet gek, het rook een beetje naar ethanol. Zonder de kurk er weer op te doen zette ik de kruik terug in de kast. Ik zei,

'Chambreren... of doe je dat alleen met wijn?'

Ik liep naar de keuken. Een mok thee met bergen suiker zou me goed doen, dacht ik. Ergens in mijn achterhoofd hoorde ik een stemmetje zeggen,

'Dat gaat de verkeerde kant op.'

Ik schonk er geen aandacht aan. Ik deed de deur van de keukenkast open. Daar stond het glas van Roches. Ik zei,

'Mooi niet dus,' en liet het in de gootsteen vallen. Het was nog heel. Ik zei, 'Koppig kreng.'

Ik haalde een hamer en sloeg het aan scherven. Ik verwondde me aan een stukje rondvliegend glas dat tegen mijn linkerwenkbrauw vloog. Ik smeet de hamer in de gootsteen en ging weer terug naar de woonkamer. Ik liep naar de kast, pakte de kruik en zette hem aan mijn mond.

“KAN
NIET
BETER,
MA!”

James Cagney in *White Heat*

Om het verhaal een zeker evenwicht te geven, zou ik eigenlijk iets over mijn moeder moeten vertellen. Ann had gezegd,

'Je hebt het altijd maar over je vader. Ik weet dat je steeds aan hem denkt, maar je hebt het nooit over je moeder.'

'Houen zo.'

Kort maar krachtig.

Mijn vader was een groot liefhebber van Henry James. Iemand die in het westen van Ierland bij de spoorwegen werkte en het werk van een Amerikaan uit een heel andere wereld las: op het eerste gezicht was dat geen voor de hand liggende keuze. Hij zei,

'James lijkt zo gestileerd, zo gepolijst, maar daaronder gaat een wereld schuil waarin...'

Hij maakte de zin niet eens af. 'Een schuilgaande wereld': voor een kind van het duister was dat al verlokking genoeg.

In *Wat Maisie Wist* zegt het negenjarige kind,

'Ik geloof niet dat mijn moeder veel om me geeft.'

Ik wist dat mijn moeder geen overdreven gevoelens van liefde en genegenheid koesterde... voor niemand. En voor mij helemaal niet. Zij is het ergste wat een mens kan zijn: een snob. En ze komt ook nog uit Leitrim! Voor haar was niets en niemand goed genoeg. Ze voldeed zelf waarschijnlijk ook niet aan haar eigen normen. Als ik er diep over nadenk, kom ik misschien tot de conclusie dat ze hopeloos ongelukkig is, maar het zal me allemaal een rotzorg wezen.

En dan die grote bek van haar.

Geen zeurkous, nee: een sloperij in vol bedrijf.

Hakken
Hakken
Hakken,

steeds maar inhakken op alles en iedereen. Langzaam maar zeker al je zelfvertrouwen en zelfrespect onderuithalen. Zoals ze tegen me tekeerging,

'Je wordt net als je vader. Er komt nooit wat van je terecht.'

'Zo komt boontje om z'n loontje.'

Dat soort opmerkingen! En dan ook nog van iemand uit Leitrim.

Geen wonder dat ik aan de drank raakte.

'Je vader is een miezerig mannetje in een miezerig uniformpje, met een miezerig baantje.'

Als kind was ik bang van mijn moeder. Later kreeg een hekel aan haar. Toen ik in de twintig was, verachtte ik haar en tegenwoordig doe ik net of ze niet bestaat.

In de afgelopen vijf jaar heb ik haar misschien twee keer gezien. Beide keren was dat een ramp.

Op een bepaald ogenblik kreeg ze de smaak van valium te pakken. Daarna kreeg de valium háár te pakken. Haar grote bek kreeg minder scherpe kantjes. Vervolgens raakte ze verslaafd aan bloedwijn. De ene beker na de andere. Ze leefde voortdurend in een roes.

Ze was dol op pastoors.

Dat ga ik op haar grafsteen zetten. Meer hoef je niet te weten. Nonnen zijn natuurlijk ook dol op pastoors, maar dat is verplicht. Het staat in hun contract.

Mijn moeder had altijd wel een tamme geestelijke op sleeptouw. Het gerucht deed de ronde dat de huidige favoriet broeder Malachy was, de man van de Major-sigaretten. Ze ging ook regelmatig naar de kerk en steunde de plaatselijke broederschap. Ze was een novenenfreak. Ik heb haar vaak een bruine scapulier *buiten* haar blouse zien dragen. Het echte werk dus.

Ik heb een paar keer geprobeerd iets te bedenken wat in haar voordeel pleitte.

Maar dat lukte niet.

In haar latere jaren was ik precies wat ze nodig had. Een aan lager wal geraakte zoon, die haar in ieders ogen tot martelares zou maken. Een spelletje dat ze gewoon niet kón verliezen. Nadat ik uit de gardaí was geschopt kende haar vroomheid geen grenzen meer. Haar vaste nummer:

"Ik wil je hier nooit meer zien."

Bij de begrafenis van mijn vader heeft ze zich schandelijk gedragen. Bij het open graf in elkaar zakken, op straat lopen krijsen, een krans zo groot dat het tegen het vulgaire aanliep.

Dat soort dingen.

Natuurlijk kleedde ze zich daarna alleen nog maar in het zwart. Ze ging vaker naar de kerk dan ooit. Ze had zijn hele leven nooit een goed woord voor hem over gehad, en nu hij dood was, was het precies andersom.

Hij had tegen mij gezegd,

'Je moeder bedoelt het goed.'

Maar dat was dus niet zo.

Toen niet, nu niet en nooit niet.

Mensen als zij profiteren van de goedheid van anderen. Het idee dat ze het 'goed bedoelen' dient als levenslang excuus voor al hun misselijke streken. Ik kijk graag naar foto's van dictators, tirannen en krijgsheren. Ergens achteraan staat altijd wel een 'mama' met een stalen gezicht en ogen van graniet. Zij zijn de banaliteit van het kwaad, waar iedereen het altijd over heeft, maar die haast niemand onderkent.

Sean was altijd vol lof over haar en probeerde me voortdurend om te praten. Hij zei dan steeds,

'Ze houdt van je, Jack. Op haar manier.'

Ze hield contact met hem, maar vermoedelijk was dat alleen om mij in de gaten te kunnen houden. Ik zei tegen hem,

'Zorg, en dat meen ik, zorg dat je haar nooit ook maar iets over mij vertelt.'

'Jack, ze is je moeder.'

'Ik meen het echt, Sean.'

'Ach kom, je zegt maar wat.'

Toen ik eenmaal aan de jenever begonnen was, was het hek van de dam. Ik herinner me alleen nog het moment dat ik in het huis van mijn moeder weer bij kennis kwam en verder niets. Geen wonder dat ze zeggen dat drank de oorzaak is van veel huisvrouwenleed.

NEE...
GEEN
BENEDICTIE

Ik deed mijn ogen open. Ik verwachtte een dwangbuis of een gevangeniscel. Of allebei. Hoe ik me voelde? Ziek is te zwak uitgedrukt. Ik lag in een bed. Een schoon bed met propere lakens. Toen ik overeind wilde gaan zitten, ging mijn hart in paniek tekeer. Aan het voeteneind van het bed zat een in het zwart geklede figuur. Ik moet me rotgeschrokken zijn; de figuur begon te praten.

'Rustig maar, Jack, je bent hier veilig.'

Het lukte me om me te concentreren. Ik vroeg,

'Broeder Malachy?'

'Ja.'

'Wat? Hoe?'

'Je bent bij je moeder.'

'Jezuschristus.'

'Je moet de naam van de Heer niet ijdel gebruiken.'

Ik had het gevoel dat mijn hoofd elk moment uit elkaar kon barsten, maar ik moest en zou het weten.

'Woon je hier?'

'Doe niet zo gek. Je moeder heeft me gebeld.'

'Godverdomme.'

'Let op je woorden, vriend. Ik duld geen gevloek.'

'Sleep me maar voor de rechter.'

Ik merkte dat ik een pyjama aan had, een oude, goedzittende pyjama, minstens honderd keer gewassen. Ik zei,

'Jezus, ik denk dat die nog van mijn vader is geweest.'

'Moge hij rusten in vrede. Al ben ik bang dat hij zich in z'n graf zou omdraaien als hij wist wat jij allemaal uitspookt.'

Het lukte me om op de rand van het bed te gaan zitten. Ik vroeg,

'Is er thee?'

Hij schudde verdrietig zijn hoofd. Ik vroeg,

'Wat? Mag je niet eens thee zetten?'

'Je hebt je vreselijk misdragen. Tegen je moeder lopen schelden. Tegen de tijd dat ik hier kwam, was je buiten westen.'

Ik probeerde mijn kapotte kop weer enigszins op orde te krijgen. Ik kon me nog herinneren dat het vrijdagavond was toen ik begon te drinken. Ik haalde diep adem en vroeg,

'Wat voor dag is het vandaag?'

Hij keek me haast medelijdend aan en vroeg,

'Weet je dat echt niet?'

'Natuurlijk wel, ik vraag het alleen maar om je te pesten, nou goed?'

'Woensdag.'

Ik sloeg mijn handen voor mijn gezicht. Ik moest nu echt zo snel mogelijk een kuur gaan volgen. Malachy zei,

'Sean is gisteren begraven.'

'Was ik erbij?'

'Nee.'

Ik moest hoognodig braken. Ik had het gevoel dat ik daar een week lang mee door zou kunnen gaan. Malachy ging verder,

'De zoon van Sean, William heet hij geloof ik, was overgekomen uit Engeland. Hij gaat het café overnemen. Een pientere knaap, had ik de indruk.'

Malachy ging overeind staan, keek op zijn horloge en zei,

'Tijd voor de mis. Ik hoop dat je je tegenover je moeder een beetje fatsoenlijk gedraagt.'

'Je rookt niet. Ben je gestopt?'

'Het heeft God nog niet behaagd om die last van mijn schouders te nemen, maar in het huis van je moeder een sigaret opsteken is uitgesloten.'

'Is het God z'n schuld dat je rookt?'

'Dat zei ik niet.'

'Waarom niet? Ik geef Hem ook altijd overal de schuld van.'

'Geen wonder. Moet je zien hoe je er bij loopt.'

Hij vertrok. Mijn kleren lagen

Gewassen
Gestreken
Opgevouwen

aan het voeteneind van het bed.

Ik kleedde me moeizaam aan. Het duurde even, omdat ik steeds een vlaag van misselijkheid in me op voelde komen. Ik haalde diep adem en liep de trap af. Ze was in de keuken bezig met keukenklussen. Ik zei,

'Dag.'

Ze draaide zich om. Mijn moeder heeft sterke gelaatstrekken; ze zitten alleen op de verkeerde plaats. Alles bij elkaar maakt ze een hardvochtige indruk. Als we tegen de tijd dat we veertig zijn het gezicht krijgen waar we recht op hebben, dan heeft zij de hoofdprijs gewonnen. Diepe rimpels op haar voorhoofd en aan weerszijden van haar neus. Haar grijze haar achterovergekamd en samengebonden in een onmogelijk knotje. Maar de staalharde blik in haar donkerbruine ogen verried alles. Het was de blik van een officier die zojuist zijn manschappen opdracht heeft gegeven om de krijgsgevangenen te executeren. Ze zei,

'Opgestaan, zo te zien.'

'Ja... het... het spijt me van... van de overlast.'

Ze zuchtte. Zuchten: daar was ze pas echt goed in. Met een zucht waarin al het leed van Ierland doorklonk, zei ze,

'O, maar daar ben ik wel aan gewend.'

Ik moest gaan zitten. Ze vroeg,

'Had je ergens op gerekend?'

'Waarop?'

'Op ontbijt, bijvoorbeeld.'

'Ik heb trek in een kop thee.'

Terwijl ze bij de gootsteen de ketel stond te vullen, keek ik om me heen. Links van haar zag ik een fles Buckfast. Ook goed. Ik zei,

'Er wordt gebeld.'

'Wat?'

'Twee keer. Er werd twee keer gebeld.'

'Niets van gehoord.'

'Dat komt omdat die ketel zo'n herrie maakt.'

Ze liep naar de voordeur. Ik kwam meteen overeind en pakte de fles. Ik nam een grote slok. Jezus, wat een bocht. Ik dacht, 'Zouden er mensen zijn die dit uit vrije wil aanschaffen?'

Dit was het moment van de waarheid: zou het me lukken om het binnen te houden of niet? Het kwam als accuzuur in mijn maag terecht. Ik liep terug naar mijn stoel en wachtte af. Het begon te zakken, ik voelde de gloed ervan in mijn ingewanden. Mijn moeder kwam terug, de achterdocht stond op haar gezicht te lezen. Ze zei,

'Er was niemand.'

'O.'

Ze had nu iets van een bewaker die heeft ontdekt dat er een gevangene is ontsnapt, maar niet precies weet wie. Ik ging staan en zei,

'Laat de thee maar zitten.'

'Maar het water kookt net.'

'Ik moet weg.'

'Werk je nog steeds als... als...'

Ze zag geen kans om haar zin af te maken. Ik zei,

'Ja.'

'En klopt het dat je nu bezig bent met de zelfmoord van een of ander meisje?'

'Hoe weet je dat? O, van broeder Malachy natuurlijk.'

'Ach, de hele stad weet het. God mag weten hoe je daar tijd voor hebt, tussen je zuippartijen door.'

Ik liep naar de deur en zei,

'Nogmaals bedankt.'

Ze ging met haar handen in haar zij staan, klaar voor de aanval, en zei,

'Het zou wel heel erg zijn als je niet eens meer thuis terechtkunt.'

'Ik ben hier nooit thuis geweest.'

KARMA

Toen ik door College Road liep, bedacht ik dat ik eigenlijk iets vriendelijkers had moeten zeggen. Jaren geleden had ik iets gelezen over een man die vroeg,

> *Het geeft niet hoeveel jaar het geleden is dat ik hen voor het laatst heb gezien of op welke plek op aarde ik me op dat moment bevind, maar mijn familie weet nog steeds precies wat mijn zwakke plekken zijn. Hoe komt dat?*

Het antwoord luidde:

> *Omdat ze die zelf bij je gekweekt hebben.*

Op Fair Green kreeg ik plotseling een vlaag van duizeligheid en moest ik me tegen een muur staande zien te houden. Twee langskomende vrouwen liepen met een wijde boog om me heen. Een van hen zei,

'Nu al dronken en het is nog niet eens elf uur.'

Het zweet gutste langs mijn gezicht. Ik voelde een hand op mijn schouder. Ik voelde me zo rot dat ik hoopte dat iemand me kwam bestelen. Een stem,

'Ik zie dat je in nood verkeert, waarde vriend.'

Dat typische toontje. Het was Padraig, de aanvoerder van de drinkers. Hij pakte mijn arm beet en zei,

'Hier vlakbij staat een bank, ver weg van alle tumult.'

Hij bracht me erheen. Ik dacht, als mijn moeder dit zou zien – en ze zag altijd alles – zou ze er amper van opkijken. Ik ging zitten. Padraig zei,

'Hier, probeer dit eens.'

Ik zag een bruine fles en hij zei,

'Het kan nooit erger zijn dan wat je al op hebt.'

'Daar zit wat in.'

Ik dronk. Het smaakte nergens naar. Ik had spiritus verwacht. Hij zei,

'Je had zeker spiritus verwacht.'

Ik knikte.

'Dit is voor noodgevallen. Ik heb in het Britse leger geleerd hoe je het moet maken.'

'Ben jij in het leger geweest?'

'Geen idee. Er zijn dagen dat ik denk dat ik er nog steeds in zit.'

Ik voelde me al een heel stuk beter. Ik zei,

'Dat spul werkt prima.'

'*Certainement*. De Britten weten hoe ze de mensheid verlichting moeten schenken. Maar helaas kiezen ze daar vaak het verkeerde moment voor.'

Dit ging me boven de pet. Ik zei dus maar niets. Hij vroeg,

'Ben jij soms, zoals ze in Amerika zeggen, tipsy?'

'Jaaaa... en niet zo zuinig ook.'

'Was er een reden voor?'

'Mijn vriend is dood.'

'Aha. Nou, gecondoleerd.'

'Ik heb de begrafenis gemist en de paar vrienden die ik nog had enorm geschoffeerd, denk ik.'

Er kwam een garda aanlopen. Hij bleef staan en blafte,

'Doorlopen, dit is openbaar terrein.'

Voordat ik kon reageren, stond Padraig al overeind en zei,

'Ja, agent, we gaan al.'

Terwijl we verder liepen, zei ik tegen Padraig,

'Omhooggevallen hufter.'

Padraig glimlachte zuinig en zei,
'Je hebt iets strijdlustigs over je.'
'Ik weet wat voor kerels dat zijn. Ik ben er vroeger zelf één geweest.'
'Wat? Een hufter?'
Ondanks alles schoot ik in de lach.
'Misschien wel. Maar ik ben vroeger bij de politie geweest.'
Dat verbaasde hem. Hij bleef staan en bekeek me van top tot teen. Hij zei,
'Dat zou ik nou nooit achter je gezocht hebben.'
'Het is ook al heel lang geleden.'
'Uit de manier waarop je erover praat, spreekt een zekere heimwee. Misschien kun je je opnieuw aanmelden.'
'Dat denk ik niet. Ze nemen tegenwoordig alleen nog maar mensen aan die gestudeerd hebben.'
'Men vraagt zich af waarin.'
We hadden de overkant van het plein bereikt. Bij de toiletten zat een groepje drinkers. Ze riepen naar Padraig. Ik zei,
'Mag ik je nog iets vragen voor je er vandoor gaat?'
'Wis en zeker. Ik kan je niet beloven dat mijn antwoorden op waarheid berusten, maar ik zal een poging doen om mijn woorden enige overtuigingskracht mee te geven.'
'Geloof je in karma?'
Het duurde een eeuwigheid voor hij antwoord gaf. Hij wreef met een vinger langs zijn lip en zei toen,
'Iedere kracht roept een gelijke, tegengestelde kracht op... ja, ik geloof in karma.'
'Dan kan ik het wel schudden.'

"De uitdaging voor ieder mens is creëren.
Staat jouw creëren in het teken van eerbied of van onachtzaamheid?"

Gary Zukav, *De Zetel van de Ziel*

Ik was thuisgekomen met alleen maar zes blikjes bier bij me. Bij de slijter had ik een voorraad whiskey in willen slaan, maar als ik er ooit bovenop wilde komen, was dat niet de manier. Het drankje van Padraig had geholpen en ik kroop zonder verdere kleerscheuren in bed.

Ik sliep tot het ochtendgloren. Toen ik weer bij kennis kwam, bleek ik me niet in de eerste cirkel van de hel te bevinden. Ik kon de ontwenningskuur rustig overslaan. Het lukte me om wat koffie naar binnen te werken. Ik stond weliswaar te trillen als een espenblad maar dat was voor mij niets nieuws. Ik zette de blikjes in de koelkast en hoopte dat ik van lieverlee minder zou gaan drinken. Ik stond onder de douche tot mijn huid begon te prikkelen en knipte zelfs mijn volle baard een beetje bij. Ik keek in de spiegel en zei,

'Pfff.'

Het beeld in de spiegel was dat van een afgetakelde kop.

Ik belde Ann. De telefoon ging één keer over en toen,

'Ja?'

'Ann, met Jack.'

'Ja?'

IJs.

'Ann, ik weet niet hoe ik beginnen moet.'

'Doe geen moeite.'

'Wat?'

'Ik kan het niet meer aan. Ik stuur je wel een cheque voor je tot nu toe bewezen diensten, maar ik zal er verder geen gebruik van maken.'

'Ann... luister nou.'

'Je vriend ligt begraven op het kerkhof van Rahoon. Zijn graf ligt vlak bij dat van Sarah. Je moet er eens langsgaan, als je tenminste ooit nuchter genoeg bent om de reis te ondernemen. Persoonlijk heb ik daar zo m'n twijfels over.'

'Mag ik misschien even...'

'Ik hoef het niet te horen. En je hoeft me ook niet meer te bellen.'

Ze legde de hoorn op de haak. Ik trok met veel moeite een kostuum aan en ging de deur uit. Bij de kathedraal hoorde ik iemand mijn naam roepen. Er kwam een man aanrennen die zei,

'Ik ben aangenomen.'

'Waar?'

'Bij de post. Ik heb jouw naam als referentie opgegeven.'

'Ik dacht dat je die baan helemaal niet wilde.'

'Dat is ook zo, maar het is toch fijn als ze je willen hebben?'

'Ik ben blij voor je. Wanneer ga je beginnen?'

'Waarmee?'

'Met die baan.'

Hij keek me aan of ik niet goed snik was en zei,

'Ik neem die baan helemaal niet.'

'O.'

'Ik heb trouwens een paard voor je.'

Ik zou er niet van hebben opgekeken als hij de kerk was binnengelopen en met een hengst naar buiten was gekomen. Hij zei,

'Om halfvier in Ayr. Rocket Man. Succes verzekerd. Zet maar hoog in.'

‘Hoe hoog?’

‘Waanzinnig.’

‘Oké... bedankt.’

‘Nee, jij bedankt. Ik heb altijd al postbode willen worden.’

Ik liep even bij Java naar binnen voor een kop koffie. De serveerster sprak geen woord Engels, maar ze had wel een betoverende glimlach. Het is soms het een of het ander. Ik zei,

'Een dubbele espresso graag.'

Ik wees het op de menukaart aan.

Het moment van de waarheid op financieel gebied was aangebroken. Ik haalde mijn portefeuille voor de dag en slaakte een zucht van verlichting. Hij was niet leeg. Ik keek even. Bankbiljetten... ik zag bankbiljetten. Langzaam tellen nu, heel langzaam. Een, twee in de maat. Tweehonderd. Voordat ik in vreugde kon uitbarsten, viel er een schaduw over me heen.

Het was die van een forsgebouwde kerel, die me vaag bekend voorkwam maar die ik toch niet onmiddellijk kon plaatsen. Hij vroeg,

'Heb je even?'

Ik legde mijn linkerhand op het tafeltje en zei,

'Ga je ze weer breken?'

Het was de kerel van de veiligheidsdienst, de agent die me de eerste keer in elkaar had geslagen. Hij trok een stoel van onder het tafeltje en zei,

'Ik wil het je even uitleggen.'

De serveerster bracht mijn koffie en keek hem aan. Hij maakte een afwerend gebaar. Ik zei,

'Dat wil ik horen.'

Hij begon.

'Je weet dat ik bij de politie was. De bewaking leverde een aardig extraatje op. Een heleboel van de jongens doen het erbij. Toen meneer Ford zei dat je problemen veroorzaakte, heb ik hem geholpen. Ik wist niet wat voor iemand hij was. Wist je trouwens dat hij dood is?'

'Dat heb ik gehoord.'

'Ja, nou goed... het blijkt nu dus dat hij perverse afwijkingen had. En dat, ik zweer het je, gaat mij te ver. Pas na... nadat we jou te grazen hadden genomen... kwam ik er achter dat jij vroeger bij de politie bent geweest. Als ik dat geweten had... geloof me, dan had ik het nooit gedaan.'

'Wat wil je van me? Vergeving?'

Hij liet zijn hoofd zakken.

'Ik ben herboren in de Heer.'

'Wat fijn.'

'Nee, ik meen het. Ik ben bij de politie weggegaan en ik werk ook niet meer bij de beveiliging. Ik hou me alleen nog maar bezig met het werk van God.'

Ik nam een slokje van de espresso. Het had de bittere smaak van een onverhoord gebed. Hij zei,

'Ik hoorde dat je nog steeds met die zaak van die zelfmoord van dat meisje bezig bent.'

'Klopt.'

'Ik wil je helpen. Om het allemaal weer goed te maken.'

Hij haalde een stukje papier tevoorschijn en zei,

'Hier heb je mijn telefoonnummer. Ik heb nog steeds m'n contacten, en als je wat nodig hebt...'

'Dan vind ik God aan mijn zijde, bedoel je dat?'

Hij ging staan en zei,

'Ik denk niet dat jij het begrijpt, maar Hij heeft ons lief.'

'Een hele troost.'

Hij stak zijn hand uit en zei,
'Even goeie vrienden.'
Ik negeerde het gebaar en zei,
'Doe toch gewoon, man.'
Toen hij weg was, keek ik naar het stukje papier. Zijn naam stond er op:

BRENDAN FLOOD

En een telefoonnummer.
Ik wilde het weggooien, maar bedacht me.
Ik ging naar de bloemist. Achter de toonbank stond hetzelfde meisje dat me de rozen verkocht had. Ze zei,
'Ik ken u nog.'
'O ja?'
'Hebben ze geholpen?'
'Wie?'
'De rozen, voor uw vriendin?'
'Dat is een goede vraag.'
'Ach, wat jammer... Gaat u het nog een keer proberen?'
'Niet bepaald..'
'O?'
'Ik moet een grafkrans hebben.'
Een blik vol afkeer, en toen,
'Is ze overleden?'
'Nee... nee, het is voor iemand anders. Voor een vriend van me.'
'Gecondoleerd.'
Er kwam een geestelijke langs. Een klein mannetje, dat zei,

'Gaat het?'

Hij had het vrolijkste gezicht dat ik in tijden had gezien. Het meisje vroeg,

'Weet u wie dat is?'

'Dat is een klein mannetje in een pastoorspak.'

'Dat is de bisschop.'

'Dat geloof ik voor geen meter.'

'De aardigste man die je je voor kunt stellen.'

Ik was stomverbaasd. Als kind had ik bisschoppen gekend die hun bisdom als feodale landheren bestuurden. Dat je een hooggeplaatste geestelijke ook gewoon op straat tegen kon komen, zonder dat hij door iedereen werd herkend, was voor mij een openbaring.

Het meisje zei dat ik de naam en de verdere bijzonderheden moest noteren en dat zij er dan voor zou zorgen dat de krans bezorgd werd. Ze voegde er aan toe,

'Ik neem aan dat u er niet mee door de stad wilt gaan lopen.'

Ik speelde even met de gedachte om er mee naar de bookmaker te gaan, maar daar zag ik toch maar van af. Het meisje bekeek me nog eens goed en zei,

'Volgens mij was u vroeger best een lekker stuk.'

"It's a good year for the roses."

Elvis Costello

Hart, de bookmaker, zit al drie generaties lang in een zijstraat van Quay Street. Op een gegeven moment begonnen de grote Engelse bookmakerfirma's de kleine plaatselijke bedrijfjes op te kopen. Hart nam het geld in ontvangst en opende vlak ernaast een nieuwe zaak. De hele stad was blij. Het lukte niet vaak om de Britten op financieel gebied een loer te draaien.

Ik ken Tom Hart al heel lang. Toen ik binnenkwam, stond hij in een wolk van sigarettenrook over zijn formulieren gebogen. Hij zei,

'Kijk eens aan, daar hebben we Jack Taylor. Is dit een overval?'

'Ik ben niet meer bij de politie.'

'Dat zeggen ze allemaal.'

'Ik wil op een paard wedden.'

Hij stak zijn armen uit en gebaarde in de richting van de muren. Hij zei,

'Dan ben je hier op het goede adres.'

Ik gaf de naam op en vroeg wat de notering was. Hij keek het na op de teletekst en zei,

'Vijfendertig tegen één.'

Ik vulde een briefje in en legde al mijn geld eronder. Hij las het en vroeg op gedempte toon,

'Is dit serieus?'

'Bloedserieus.'

Twee andere klanten, die de hondenrennen stonden te volgen, merkten dat de sfeer in de zaak opeens veranderde. Ze probeerden te horen wat er gezegd werd. Tom zei,

'Jack, ik doe dit voor de centen, maar jij bent één van ons. De favoriet in deze race is een van de beste paarden van het moment. Die wint op z'n sloffen.'

'Doe toch maar.'

'Ik probeer je een dienst te bewijzen.'

'Kan ik m'n inzet bij je kwijt of niet?'

Hij haalde zijn schouders op op een manier die ze op de bookmakersschool tot in de perfectie leren beheersen. Ik zei,

'Ik zie je nog wel.'

'Zeker weten. Vergeet niet wat ik zei.'

Ik keek nog even op het briefje en liep naar buiten. Een van de klanten kwam me achterna en riep,

'Jack.'

Ik bleef voor Kenny's boekhandel staan om hem de gelegenheid te geven me in te halen. Hij had het bleke gezicht van iemand die zijn dagen bij de bookmaker doorbrengt. Hij stonk vreselijk naar de nicotine. Zijn blik vertoonde een mengeling van onderdanigheid en geslepenheid. Het duurt jaren voor je dat onder de knie hebt. Hij was het hoogtepunt al voorbij. Hij keek me aan met de glimlach van een verdoemde en vroeg,

'Heb je een goeie tip?'

'Ik weet niet of het wel zo'n goeie tip is.'

'Asjeblieft, Jack, ik wil ook wel eens wat winnen.'

'Rocket Man.'

Hij stond perplex. Alsof hij alle lottocijfers goed had, maar vergeten had zijn briefje in te leveren. Hij zei,

'Nu even serieus.'

'Ik ben serieus.'

'Ach man, krijg toch de tyfus. Ik had het kunnen weten. Politieagenten zijn allemaal hetzelfde.'

Bailey's Hotel ligt vlak bij de protestantse school, op een steenworp afstand van Victoria Square. Dit is nog het oude Galway. Op elke beschikbare meter grond worden nieuwe hotels gebouwd, maar Bailey's Hotel lijkt aan de race naar de welvaart te zijn ontsnapt. Het is nog niet

verkocht
heringericht
verplaatst.

Bijna niemand weet trouwens dat het nog bestaat.

Tegenwoordig zijn er vrijwel geen 'handelsreizigers' meer. Maar als je de vreemde behoefte krijgt om er een te zien, tien tegen een dat je ze hier aantreft. Mensen van buiten de stad komen hier 'om te eten'. De buitengevel is van massief, verweerd graniet. Op het bordje staat 'OTEL'. De H is in de jaren vijftig verdwenen, toen er nog mensen in een Morris Minor rondreden en dachten dat dat heel wat was.

Ik ging er in een opwelling naar binnen. In de hoek van de hal was een receptiebalie. Een oudere dame zat *Ireland's Own* door te bladeren. Ik vroeg,

'Mevrouw Bailey?'

Ze keek op. Ik schatte haar zo'n jaar of tachtig, maar ze keek me heel alert aan. Ze zei,

'Ja?'

'Ik ben Jack Taylor. U heeft mijn vader nog gekend.'

Het duurde even tot ze zei,

'Hij werkte bij het spoor.'

'Precies.'

'Ik mocht hem graag.'

'Ik ook.'

'Waarom draagt u een baard?'
'Zomaar een idee.'
'Een mal idee. Kan ik iets voor u doen, jongeheer Taylor?'
'Ik ben op zoek naar onderdak. Voor een langere periode.'
Ze gebaarde naar de inrichting en zei,
'We zijn niet chic.'
'Ik ook niet.'
'Hm... mmm... Er staat op de vierde verdieping een kamer leeg. Licht en ruim.'
'Dan neem ik die.'
'Janet komt om de andere dag schoonmaken, maar ze vergeet het soms wel eens.'
'Dat geeft niet. Ik zal vast wat vooruit betalen.'
Dat was alleen maar een gebaar. Ik had al mijn geld bij de bookmaker gelaten. Ze vroeg,
'Heeft u een creditcard?'
'Nee.'
'Prima, want die accepteren we niet. Betaal maar op de laatste vrijdag van de maand.'
'Dank u. Wanneer kan ik er in?'
'Ik zal Janet vragen of ze de kamer lucht en een elektrische ketel neerzet. Als dat gebeurd is, kunt u er in.'
'Dat stel ik zeer op prijs, mevrouw Bailey.'
'Zeg maar Nora. Het is maar een kamer, maar ik hoop dat u zich er thuis voelt.'
Dat deed ik al.

Uit: *De Vier Inzichten*
door
Don Miguel Ruiz

*"HET TWEEDE INZICHT: Vat niets persoonlijk op.
Niets wat andere mensen doen is vanwege jou.
Wat anderen zeggen en doen, de meningen die ze
geven – dat alles hangt samen met hún
persoonlijke inzichten.
Hun zienswijze vloeit voort uit de wijze waarop hun
geest als kind werd 'geprogrammeerd'."*

"... droom maar lekker door."

Jack Taylor

Die avond pakte ik mijn spullen in. Dat was snel gebeurd. Tussendoor nam ik een blikje bier. Ik maakte mezelf wijs,

'Als ik ze niet allemaal achter elkaar opdrink, lukt het me misschien om er van af te komen.'

Het had hetzelfde gevolg als alle andere leugens en mooie illusies: het lukte me om gedurende korte tijd enigszins normaal te functioneren. Ik zette vier vuilniszakken langs de muur en sprak,

'Al mijn aardse bezittingen schenk ik u.'

Maar met die

gebroken vingers
een gebroken neus
en een baard

zag ik er niet uit als een reclame voor de welvaartseconomie.

De telefoon ging. In de hoop dat het Ann was, nam ik op en zei,

'Hallo.'

'Jack, met Cathy B.'

'O.'

'Dat klinkt niet bepaald vriendelijk.'

'Sorry, maar ik sta hier vier vuilniszakken vol te proppen.'

'Met lege flessen?'

'God, wat leuk. Nee, ik ga morgen verhuizen.'

'Dat is ook zo – er is een vrouw in je leven. Ga je bij haar wonen?'

Het zal wel met mijn leeftijd te maken hebben. Ik dacht dat ze mijn moeder bedoelde.

'Wat?'

'Ze is gek op je, Jack. Bij dat concert kon ze haar ogen niet van je afhouden.'

'Ann! Jezus, nee... ik ga naar een hotel.'

'Gekke stad, Galway. Welk hotel?'

'Bailey's.'

'Nooit van gehoord.'

Daar was ik blij om, want het betekende dat het bij mensen van buiten Galway niet bekend was.

'Mijn vriend Sean is dood.'

'Die ouwe kroegbaas?'

'Ja.'

'Jammer. Ik mocht hem geloof ik wel. Kan ik je helpen met verhuizen? Ik kan voor een bestelbus zorgen.'

'Hoeft niet, het gaat wel met een taxi.'

'Oké. Ben je aanstaande vrijdag vrij?'

'Als ze me niet arresteren wel.'

'Ik ga trouwen.'

'Dat meen je niet... met wie?'

'Met Everett, een performanceartiest.'

'Ik doe maar even net of ik weet wat dat is. Hé... gefeliciteerd... als dat hier op z'n plaats is... hoe lang hebben jullie al verkering?'

'Verkering! We zitten bijna in de eenentwintigste eeuw, Jack. Ik ken hem al sinds... sinds sint-juttemis.'

Ik moest er rekening mee houden dat ze een Engelse was, en dat de Engelsen hun greep op de taal kwijt zijn geraakt. Ik vroeg,

'Hoe lang?'

'Al bijna drie weken.'

'Hoe hou je het vol!'

'Wil jij me naar het altaar brengen? Ik bedoel... jij bent de enige oudere die ik ken.'

'Dank je... natuurlijk, met alle plezier.'

En dan nu de uitslagen.

Ik zette de tv aan en zocht de sportpagina's van de teletekst. Had ik last van zenuwen? Ik veegde wat zweetdruppels van mijn voorhoofd. Oké... dat komt van het bier. Hebbes... uitslagen... ik bladerde er doorheen. Ik zag hem eerst nergens... verdomme... misschien heeft hij helemaal niet meegedaan. Schiet op... schiet toch op...

ROCKET MAN........12/1

Grote goden!

Ik had gewonnen!

De einduitslag was 12, en ik had op 35 ingezet! Ik danste door de kamer en sloeg met mijn vuist in de lucht. Ik brulde,

'JAAAAA!'

Ik kuste het scherm en zei,

'Schat van me.'

Met kloppend hart maakte ik een paar snelle berekeningen. Zeven ruggen! Ik haalde het briefje tevoorschijn om me ervan te overtuigen dat het klopte. Jawel, als een bus. Er werd geklopt.

Ik deed open. Het was Linda. Ik zei,

'Ja?'

'Jack, ik wil je niet haasten of zo, maar heb je al wat geregeld?'

'Jawel.'

'O, dat is fijn. Heb je iets leuks?'

'Wat kan jou dat schelen?'

'Ik wil niet dat je hier met ruzie vertrekt.'

'Natuurlijk niet. Het feit dat je me op straat zet, hoeft onze vriendschap niet te beïnvloeden.'

'Ik heb er een rotgevoel over.'

Ik schoot hardop in de lach en zei,

'Wat vervelend voor je. Dat zou toch eigenlijk niet mogen.'

En deed vervolgens de deur dicht.

Alles bij elkaar was mijn laatste avond hier er een met een gouden randje.

"Stijl,
niet oprechtheid,
is de essentie van alles wat belangrijk is.
Bij het gebruik van geweld is een stijl nodig
die koelbloedigheid en dodelijke precisie vereist."

Oscar Wilde

De volgende morgen zette ik koffie en controleerde of alles voor vertrek gereed stond. Het nieuws begon. Ik luisterde maar half, tot de plaatselijke berichten begonnen en

> *Vanmorgen vroeg werd ter hoogte van Nimmo's Pier het lichaam van een meisje uit het water gehaald. De politie was snel ter plaatse en probeerde vergeefs het meisje te reanimeren. Het aantal tienermeisjes dat dit jaar op deze plek zelfmoord heeft gepleegd, komt hiermee op tien.*

ik zei,

'Hij heeft weer toegeslagen.'

De telefoon ging. Het was Ann. Zonder inleiding begon ze,

'Heb je het nieuws gehoord?'

'Ja.'

'Jij had dit kunnen voorkomen.'

En hing op.

Als ik een fles had gehad, zou ik me het lazarus hebben gezopen. Ik belde een taxi.

Ik sleepte mijn spullen naar buiten en bleef bij de waterkant staan wachten. Toen ik de deur van de flat achter me dichttrok, keek ik niet om.

De taxichauffeur was een Dubliner en dat was aan alles te merken. Ik zei,

'Naar Bailey's Hotel graag.'

'Waar is dat?'

Ik gaf hem aanwijzingen en hij zei,

'Waarom is me dat nooit opgevallen?'

Ik gaf geen antwoord. De hele rit was hij bezig met

uitleggen waar de GAA, de Ierse sportbond, in de fout ging. Waar nodig liet ik instemmend gebrom horen. Toen we bij het hotel kwamen, keek hij even naar de gevel en zei,

'Ook niet veel bijzonders.'

'Binnen is het net als bij de GAA... als je daar eenmaal op het pluche zit, wil je ook niet anders meer.'

Mevrouw Bailey zat bij de receptie. Ze vroeg,

'Trek in stout?'

Ik wist niet of ze me een oneerbaar voorstel deed of dat ze me een pint Guinness aanbood. Ik schudde van nee. Ze ging verder,

'Janet heeft de kamer helemaal aan kant.'

Ze gaf me een paar sleutels en zei,

'Deze is van de buitendeur. Dan kunt u komen en gaan wanneer u wilt.'

Beter kan niet.

Ik had gedacht dat Janet een meisje was, maar ze bleek nog ouder te zijn dan mevrouw Bailey. Ze stond in de gang op me te wachten. Ze gaf me zowaar een hand en zei,

'Eindelijk iemand uit Galway. Wat fijn.'

De kamer was licht en ruim, met grote ramen. Op de tafel stond een vaas met bloemen. Janet was me achternagelopen en zei,

'Om je te verwelkomen.'

Een badkamer met een groot ligbad en een grote voorraad frisse, schone handdoeken. Naast het tweepersoonsbed stond een koffiepot. Er stond een pak Bewley's goudmerk naast. Ik zei,

'Jullie hebben nogal wat moeite gedaan.'

'Ach, welnee. We hebben hier geen vaste gasten meer gehad sinds meneer Waite is overleden.'

'En hoe lang heeft hij hier gewoond?'

'Twintig jaar.'

'Dat lijkt mij ook wel wat.'

Ze glimlachte naar me. Je kon zien dat ze het meende. Echt zo iemand die zich nooit door valsheid of wrok heeft laten leiden. Ze keek even op de gang of er niemand stond te luisteren en zei,

'Op zaterdagavond is er altijd dansen.'

'Echt waar?'

Haar gezicht glom, zoals dat van een non die een reep chocola krijgt. Ze zei,

'We maken er geen reclame voor... dat doen we nooit. Ken je The Swingtime Aces?'

Nooit van gehoord. Ik zei,

'Ja nou en of. Geweldige band.'

'Ze zijn echt *fan-tas-tisch*. Zoals ze een foxtrot spelen, of een tango, zo... zo levendig. Dans je zelf ook?'

'Je zou mijn rumba eens moeten zien.'

Ze kirde zowat van verrukking. Ik zei,

'Dans nog eenmaal met mij.'

Ik zweer je, ze viel bijna flauw. Er was een telefoon, tv, een video. Alle eerste levensbehoeften. Ik besloot om mijn spullen ingepakt te laten. Ik liep de trap af en stond in een mum van tijd op straat. Ik had zo'n behoefte aan drank dat ik de smaak ervan op mijn tong proefde.

Bij de bookmaker trof ik alleen Hart achter de balie aan. Verder was er niemand. Zonder op te kijken zei hij,

'Je hebt me geruïneerd.'

'Heb je mijn inzet dan niet doorgegeven?'

'Natuurlijk wel.'

'Heb je zelf ook ingezet?'

'Natuurlijk.'

'Wat is dan het probleem?'

'Ik heb me laten overdonderen.'

'Dat overkomt ons allemaal wel eens.'

'Wil je een cheque?'

'Geen denken aan.'

'Dacht ik al, hier.'

Hij smeet een gewatteerde envelop op de balie en zei,

'Tel het voor de zekerheid maar na.'

Dat deed ik.

Toen ik wegging, riep Hart,

'Jack!'

'Ja?'

'Kom hier asjeblieft nooit meer.'

"'Tjonge,' zei Carella.
'Wat een dag was dat!'"

Ed McBain, *De Dood Op Schoot*

Ik liep bij Grogan naar binnen. Het verlies van Sean was er voelbaar. Alsof er een vloek op het bedrijf rustte. Het was of alles er opeens anders uitzag. Toen ik goed keek, bleek alles ook anders te zijn. Het eeuwige tweetal zat niet aan de bar. Uit de magazijnruimte kwam een grote, dikke man tevoorschijn. Ik vroeg,

'Waar zijn de wachters?'

'Pardon, m'neer?'

Een Engelsman.

'Die twee oude kerels die hier altijd de bar overeind hielden.'

'Heb ik eruit geflikkerd. Slecht voor de klandizie.'

'Ben jij de zoon van Sean?'

Hij wierp me een onderzoekende, haast vijandige blik toe en zei,

'Wie ben jij?'

'Ik was zijn vriend. Ik ben Jack Taylor.'

Ik stak mijn hand uit. Hij negeerde het gebaar en vroeg,

'Heb ik je soms bij de begrafenis gezien?'

'Ik... nee... ik was verhinderd.'

'Zo'n goeie vriend was je dus ook weer niet.'

Daar had ik niet van terug.

Hij ging achter de bar staan en had het opeens erg druk met dingen waar kasteleins het altijd druk mee hebben. Ik zei,

'Kan ik iets bestellen?'

'Daarvoor ben je denk ik hier niet op de goede plek.'

Ik bleef even staan en hij vroeg,

'Verder nog iets?'

'Nu begrijp ik waarom Sean nooit over je praatte.'

Hij grijnsde, zodat ik eraan toevoegde,

'Hij moet zich rotgeschaamd hebben voor zo'n zoon als jij.'

Toen ik weer buiten stond, voelde ik een mengeling van woede en verdriet, en dat is altijd een levensgevaarlijke combinatie. Ik wilde weer terug naar binnen om die zelfingenomen kwal tegen de vlakte te slaan. Er bleven twee Amerikaanse toeristen staan, die naar de gevel keken en vroegen,

'Is dit een echt bruin café?'

'Nee, dit is nep. Als je een echt bruin café zoekt, moet je bij Garavan zijn.'

Bij de slijter sloeg ik ruim in. De verkoper zei,

'Dat wordt een flink feest!'

'Dat wordt een flinke puinhoop.'

Tegen de tijd dat ik weer terug bij het hotel was, voelde ik de drankvoorraad als een loden last aan mijn arm. Om mezelf te straffen, nam ik de trap. Ik deed de deur van mijn nieuwe kamer open en dacht,

'Nog twee tellen en dan neem ik er een.'

De tv stond aan. Ik liep naar binnen. Sutton zat languit in de leunstoel. Zijn benen lagen op het bed. Ik liet de drank bijna uit mijn handen vallen. Hij zei,

'Wat een rotzooi is er toch 's morgens op de tv.'

En zette het toestel uit.

Ik probeerde kalm te blijven en vroeg,

'Hoe ben je hier binnengekomen?'

'Janet heeft me binnengelaten. Ik zei dat ik je broer was. Wist je dat ze hier dansavonden hebben?'

Ik liep om de stoel heen en hij vroeg,

'Wat zit er in die tas?'
'Hoe wist je dat ik hier zit?'
'Ik heb je geschaduwd. Uit voorzorg, dat ze je niet nog een keer te grazen nemen.'
'Geschaduwd! Wie denk je verdomme dat je bent?'
Hij ging staan en maakte een afweerbeweging, alsof hij zichzelf wilde verdedigen. Hij zei,
'Zo ken ik je weer.'
'Dat wist je van tevoren. Of denk je soms dat ik geloof dat je die jenever "vergeten" had?'
Ik besefte hoe dat klonk. Een zeikerd, in een stad vol zeikerds. Alsof het zijn schuld was. Ik gooide hem een blikje bier toe en zei,
'Wil je me asjeblieft niet meer achternazitten... oké?'
'Okiedokie.'
We dronken in stilte tot hij zei,
'Ik ben naar de begrafenis geweest.'
'Daar ben ik niet aan toegekomen.'
'Ik mocht die ouwe klootzak wel. Pittig mannetje.'
'Zijn zoon heeft de zaak overgenomen.'
'O ja? Wat is dat voor iemand?'
'Hij heeft me eruit gezet.'
Sutton schoot hardop in de lach en ik zei,
'Bedankt.'
Even later verbraken we de verzegeling van de whiskeyfles. Hij zei,
'Planter heeft weer toegeslagen.'
'Of niet, misschien wás dit wel zelfmoord.'
'Ach kom, Jack, dat geloof je toch zeker zelf niet? Zo gauw hij doorhad dat we hem in de gaten hebben, heeft hij weer een grietje vermoord. Alsof hij daarmee

wil zeggen dat we wat hem betreft de tyfus kunnen krijgen.'

'We hebben geen enkel bewijs.'

'En dan laat je het er maar bij zitten... nee toch?'

'Wat moet ik anders?'

'Hem doodschieten bijvoorbeeld.'

Ik keek naar Suttons gezicht, maar niets wees er op dat zijn opmerking als grap was bedoeld.

De volgende morgen was ik bekaf, maar toch ook weer niet helemaal gevloerd. Ik was de dag daarvoor rond het middaguur naar bed gegaan en, wonder boven wonder, blijven liggen. Alles deed pijn, maar er viel mee te leven. Ik zat over de koffie gebogen en mompelde in mezelf. Er werd op de deur geklopt. Het was Janet. Ze zei,

'Pardon. Ik kom straks wel terug.'

'Ik ben over tien minuten weg.'

Ze bleef in de deuropening staan. Ik snauwde,

'Is er soms iets?'

'Je broer. Ik hoop dat ik niets verkeerds heb gedaan.'

'Nee hoor, dat was allemaal prima.'

'Wat een aardige man. Hij heeft me een schilderij beloofd.'

'Typisch mijn broer.'

'Dan laat ik je verder maar met rust.'

Ik telde het geld dat ik gewonnen had nog een keer na. Ik legde de bankbiljetten op het bed en stond er een tijdje vol verwondering naar te kijken. Vervolgens pakte ik een stuk of wat enveloppen en stopte in een ervan wat geld voor de kerel die me de tip had gegeven. De volgende envelop was voor Padraig, de aanvoerder van de drinkersbende. Toen nog een voor Cathy B.; dat was haar huwelijkscadeau. En dat was dat.

Tijd om bij Sean op bezoek te gaan. Er ging een bus, maar ik wilde proberen om met een stevige wandeling van de kater af te komen. Het is best een heel eind. Van Eyre Square naar Woodquay, en dan via Dyke Road naar de Quincentennial-brug. De brug over, en dan naar Rahoon. Ik herinner me het oude hek van het kerkhof nog. Het staat er nu niet meer. Bij Kenny's boekhandel hing een foto van het hek, die gemaakt was door Ann Kennedy; onder de foto stonden een paar regels uit het gedicht van Joyce.

De pijnscheuten in mijn benen volgden hetzelfde ritme als die in mijn hoofd. Ik was niet van plan om het graf van mijn vader te bezoeken. Om eerlijk te zijn: ik schaamde me rot. Na wat ik de afgelopen weken allemaal had uitgespookt, wilde ik liever niet bij hem in de buurt komen.

Het graf van Sean was gemakkelijk te vinden. Het lag bedekt met bloemen. Het tijdelijke grafkruis zong een troosteloos lied. Als ik een pet op had gehad, zou ik hem hebben afgenomen.

Ik sloeg een kruis. Er zijn van die rituelen die haast vanzelf gaan, en dit is er een van. Ik zei,

'Sean, ik mis je vreselijk. Ik heb nooit geweten dat je zoveel voor me betekende. Je zult er wel de pest over in hebben, maar ik ben weer aan de drank. Het spijt me dat ik me tegenover jou zo beroerd heb gedragen. Ik was geen goede vriend voor je. Ik heb nu ook geen stamkroeg meer. Ik kom je heel vaak bezoeken. En je zoon is een klootzak.'

Als ik daartoe in staat was geweest, zou ik in snikken zijn uitgebarsten. Toen ik bij Seans graf vandaan liep, keek ik even in de richting van mijn vader. Naast het graf zat een vrouw geknield. Gedurende één moment van tomeloze vreugde dacht ik dat het Ann was. O, dat heerlijke, opwindende gevoel!

Het was mijn moeder. Ze bad met neergeslagen hoofd de rozenkrans. Ik kuchte zachtjes. Ze keek op en zei,

'Jack.'

Ik stak mijn hand uit om haar overeind te helpen. Het viel me op dat ze erg fragiel was. De gewrichten van haar hand waren gezwollen en ontstoken. Ze droeg uiteraard haar zwarte standaarduitrusting. Ik zei,

'Ik wist niet dat je hier weleens kwam.'

'Er is heel veel dat jij niet weet, Jack.'

'Daar twijfel ik geen moment aan.'

Ze keek naar het graf en vroeg toen,

'Zullen we ergens thee gaan drinken?'

'Eh...'

'Ik betaal. We kunnen ook een taxi nemen. Dan gaan we naar de GBC... daar hebben ze van die lekkere broodjes.'

Ik schudde mijn hoofd. Ze ging verder,

'Ik zal een bosje bloemen op Seans graf leggen. Je zult hem wel erg missen.'

'Gaat wel.'

'Ik zal een mis voor hem laten opdragen. Bij de augustijnen. Daar kost het maar een pond.'

Ik zei bijna,

'Welja, het laagste tarief. Wat ben je toch een gierig oud kreng.'

Maar ik wist me in te houden. Ze zei,

'Hij hield van die kerk. Hij ging er iedere morgen naar de mis.'

'Luister, ik... ik moet er vandoor.'

Misschien zei ze 'tot ziens, Jack', maar dat hoorde ik niet. Terwijl ik wegliep, voelde ik haar blik op me gericht. Toen ik door het hek naar buiten liep, dacht ik,

'Nu zijn allebei mijn ouders hier.'

De resten van
een onverstaanbaar dankwoord.

In de dagen daarna lukte het me om uiterste zelfbeheersing aan de dag te leggen en mijn drankgebruik op een zeker niveau te houden. Op een niveau waar je nog steeds een zekere behoefte blijft voelen. Behoefte aan liters en nog eens liters drank.

Maar ik nam tussen de middag twee pints, en daarna lukte het me om het tot laat in de avond geen druppel te drinken, waarna ik de dag besloot met nog twee pints en een paar glazen Jameson.

Ik wist uit ervaring hoe wankel dit evenwicht was. Een zuchtje wind zou me elk moment terug de hel in kunnen blazen. Maar die lichte roes was voldoende om mezelf buiten de werkelijkheid te plaatsen en ik deed mijn uiterste best om het vol te houden.

Ik was mijn tipgever tegengekomen en had hem zijn envelop gegeven. Hij stond verbaasd te kijken en zei,

'Jezus, daar kijk ik van op.'

'Ik had die tip van jou. Dit is wel het minste wat ik kon doen. Heb je zelf ook op hem gewed?'

'Wedden? Waarop?'

'Op Rocket Man! Weet je dat niet meer? Dat was de tip die je me gegeven hebt.'

'Ik geef nooit tips.'

Volgens mij zou hij bij de posterijen uitstekend op zijn plaats zijn geweest. Geen spoor van Padraig, hoewel ik op alle plaatsen waar hij doorgaans rondzwierf had gekeken.

Ik belde Ann op. Ik had het idee dat we, als ik even met haar kon praten, het nog een keer zouden kunnen proberen. Zodra ze mijn stem hoorde, legde ze de hoorn neer. Ik had nu een volle baard, compleet met grijze plukken. Ik maakte mezelf wijs dat dat op karakter duidde. Misschien was het zelfs een teken van volwassenheid. Maar als ik zo nu en dan mijn spiegelbeeld bekeek, zag ik enkel wanhoop.

Zoals ik al eerder zei, bestond mijn plan eruit dat ik naar Londen zou vertrekken, daar in de buurt van het park mijn intrek zou nemen en afwachten. Nu ik het geld had, kon ik dat rustig doen. En ik had er nu ook een reden voor. Ik kocht een paar Engelse kranten en nam de woonrubrieken door.

Het enige dat me weerhield, was dat ik nog geen verklaring had voor de dood van Sarah. Ik twijfelde er niet aan dat Planter hiervoor verantwoordelijk was. Ik had geen flauw idee hoe ik dat moest bewijzen, maar ik kon niet vertrekken voordat ik een enigszins bevredigende oplossing had gevonden.

Ik vond een nieuwe kroeg. Tijdens mijn jaren bij de politie en daarna was mij de toegang tot iedere kroeg in de stad ontzegd. Maar met de toenemende welvaart waren er ook nieuwe kroegen bijgekomen. Ik probeerde een paar echt afgrijselijke tenten. Als je daar binnenkwam, werd je door een griet met open armen verwelkomd. Ze vroegen

'HOE MAAKT U HET?'

Het viel nog mee dat ze niet vroegen welk sterrenbeeld je was. Als je zo'n tent binnenloopt met een kater van jewelste, is enthousiasme wel het laatste wat je kunt hebben. Katers kun je alleen met een flinke dosis chagrijn bestrijden.

Ik vond de Nestor eigenlijk bij toeval. Toen ik door Forster Street liep, begon het te gieten. Soms heeft regen iets heel persoonlijks, zeker als je binnen de kortste keren tot op het bot doorweekt bent. Ik wilde in een zijstraatje schuilen, en daar zag ik de Nestor. Ik wist meteen dat dit mijn plek was, want in het raam hing een bordje:

WIJ VERKOPEN GEEN ALCOHOLVRIJ BIER

Ik ging naar binnen en kon mijn ogen niet geloven: aan de bar zat een van de wachters. Hij knikte naar me en vroeg,

'Ben je daar eindelijk?'

'Waar is je collega?'

'Die heeft een hartaanval gekregen.'

'Jezus. Hoe gaat het met hem?'

'Hoe zou jij je voelen als je een hartaanval had gehad?'

'Oké. Wil je wat van me drinken?'

Hij keek me aan of ik hem een oneerbaar voorstel had gedaan en vroeg,

'Moet ik er dan ook een voor jou kopen?'

'Nee.'

'En ga je niet tegen me aan zitten kletsen?'

'Daar kun je van op aan.'

'Vooruit dan maar.'

Het was een oude kroeg, niet groter dan een bescheiden keuken. Hooguit plaats voor twintig klanten. De kastelein was een man van in de vijftig. Twee beroepen waarvoor leeftijd een vereiste is, zijn

Kastelein
en
Kapper.

Hij kende me niet. Mooi meegenomen. Ik bestelde en keek om me heen. Die oude reclameborden van Guinness, waarop je een man een kar en twee trekpaarden ziet optillen, met de onsterfelijke woorden:

GUINNESS IS GOOD FOR YOU

Authentiek tot en met. Mijn eigen favoriete Guinnessbord is dat van de pelikaan met een hele rij romige pints in zijn bek. Dat is nog eens een geluksvogel! Er hingen ook nog reclameborden van Woodbines en Sweet Afton, compleet met de regels van Robert Burns. De kastelein zei,

'Ik hou niet van verandering.'

'Daar sta ik helemaal achter.'

'Pas was hier iemand die die borden wilde kopen.'

'Alles is tegenwoordig te koop.'

'Ja, maar hier niet.'

Ik ging in een hoekje zitten. Aan een houten tafel, op een oude stoel met een houten rugleuning. De deur ging open. Er kwam een forsgebouwde boer binnen, die tegen niemand in het bijzonder zei,

'Het wil nog maar niet zomeren.'

Ik voelde me helemaal thuis.

OMTRENT DE DRINKER

Mevrouw Bailey zei,
'Er is post voor u!'
'Wat krijgen we nou?'
Ze overhandigde me een brief. Ik had geen idee hoe dat in godsnaam mogelijk was. Ik maakte de envelop open en las:

MINISTERIE VAN JUSTITIE

A Chara,
Overeenkomstig de bepalingen die van toepassing zijn bij de beëindiging van een arbeidsovereenkomst, wijs ik u er op dat u, ingevolge Artikel 59347A van de Bepalingen omtrent Uniformen en Uitrustingsstukken, alle in uw bezit zijnde staatseigendommen onverwijld dient over te dragen.
Ons is gebleken dat u met betrekking tot artikelnummer 8234 – een standaard politie-overjas – tot op heden in gebreke bent gebleven.
Wij verwachten dat u het genoemde artikel zo spoedig mogelijk aan ons retourneert.

Ik vouwde de brief op. Mevrouw Bailey vroeg,
'Slecht nieuws?'
'Het ouwe liedje.'
'Meneer Taylor, het is me opgevallen dat u nooit ontbijt.'
'Zeg maar Jack. Nee, ik ben niet zo'n ochtendmens.'
Ze glimlachte zuinigjes. Ik wist dat ze nooit Jack

tegen me zou zeggen. Daar was ik net zo heilig van overtuigd als van het feit dat artikel 8234 niet zo spoedig mogelijk geretourneerd ging worden. Ze zei,

'Ik heb op 4 augustus 1984 voor het laatst ontbeten.'

'O.'

'Dat was de dag dat mijn man, God hebbe zijn ziel, overleed.'

'Ik begrijp het.'

Ik begreep het niet. Maar wat maakte het uit? Ze ging verder,

'Die dag heb ik uitgebreid ontbeten. Het was de dag na de hondenrennen en we hadden het erg druk gehad. In die tijd was dit een van de beste hotels in Galway. Ik weet het nog goed. Het ontbijt bestond uit

Twee plakjes spek
Gebakken bloedworst
Twee worstjes
Gebakken brood

En twee koppen thee. Daarna heb ik de *Irish Independent* zitten lezen.'

Ze lachte zenuwachtig.

'O jee, nou weet u ook op welke partij ik stem. Maar goed, ik ging naar boven om Tom te roepen. Hij lag dood op bed. Hij was al helemaal koud. En ik had me in de tussentijd vol zitten proppen.'

Ik had geen flauw idee hoe ik hierop moest reageren. Soms komt het voor dat, als iemand je iets persoonlijks heeft verteld, hij of zij niet op een reactie zit te wachten, maar alleen maar behoefte heeft aan een luisterend oor. Toen zei ze,

'Ik mis de worstjes. Die waren van McCambridge. Ze worden speciaal voor hun winkel gemaakt.'

Ze had zichzelf weer een beetje onder controle en keek me met haar professionele hotelblik aan. Ze zei,

'Heeft u misschien een paar minuten tijd voor me? Ik wil graag uw mening over een bepaald onderwerp horen.'

'Natuurlijk, zeg maar wanneer het u schikt.'

'Fijn. Ik sluit de bar altijd rond een uur of elf. Misschien kunnen we daarna samen nog een slaapmutsje nemen.'

Een bar! Jezus, vlak onder mijn neus.

Kun je nagaan.

Ik zei,

'Ik verheug me er al bij voorbaat op.'

'Tot vanavond, meneer Taylor.'

Toen ik buiten stond, overwoog ik wat me te doen stond. Ik moest Padraig zien te vinden. De envelop voor hem brandde een gat in mijn jaszak. Ik had nu zoveel smeergeld dat ik een enquêtecommissie jarenlang aan het werk zou kunnen houden.

Ik ging naar de Nestor. De wachter zat op zijn vaste plek, maar ik negeerde hem. Ik kon zijn dankbaarheid voelen. De man achter de bar knikte en ik vroeg,

'Heb je koffie?'

Hij hield een mok omhoog en zei,

'Natuurlijk.'

Ik ging op de harde stoel zitten. Op tafel lagen de dagbladen uitgespreid. Ik pakte de *Independent*, alleen maar om mevrouw Bailey een plezier te doen.

De krant opende met een bericht over een man wiens nieuwe auto was gestolen. Hij woonde in een buurt waar de afgelopen tijd veel vluchtelingen waren komen wonen. Later die dag had een Roemeen hem om geld gevraagd. De man had hem bijna doodgeslagen. Later bleek dat een jongen uit de buurt de auto had 'geleend'.

Mijn koffie arriveerde en de barman zei,

'Hij heeft geen auto meer, maar die andere arme bliksem is z'n vaderland kwijt.'

Ik legde de krant neer. Hij zei,

'Het nieuwe Ierland. Over tien jaar zijn mijn klanten Roemeens-Iers, Afro-Iers.'

Dit leek me een goed moment om mijn kaarten op tafel te leggen. Ik zei,

'Beter dan die roomse gluiperds uit de jaren vijftig.'

'Zeker weten. Stukken beter.'

Ik liep naar Eyre Square en stapte op een groepje drinkers af. De meesten waren half bewusteloos. Een paar zaten op de maat van een denkbeeldig orkest mee te deinen. Ik kende de nummers die ze speelden nog van vroeger. Ik vroeg,

'Heeft iemand Padraig gezien?'

Een kerel met een trui van Boyzone en een zwaar Schots accent zei,

'Motje vannem, Jimmy?'

Vrij vertaald betekent dit,

'Waarom?'

'Hij is mijn vriend.'

Hij overlegde even met zijn collega's. Een vrouw stond op uit de groep. Zij voegde een extra dimensie toe aan het woord 'sjofel'. Ze zei met gebarsten stem,

'Hij ligt in het ziekenhuis.'

'Wat is er gebeurd?'

'Overreden door de bus uit Salthill.'

Zoals ze het zei, klonk het of de bus hem eerst een hele tijd had achtervolgd. De Schot zei,

'Kejje geld missen voor 'n bakkie, Jimmy?'

Ik gaf hem wat geld, wat een regen aan heilwensen, zegeningen en spuug teweegbracht. Dat had ik op dat moment ook hard nodig.

Het drong later pas tot me door dat de vrouw een Amerikaans accent had. De drinkers vormden nu een internationaal gezelschap. De Verenigde Naties van de Wanhoop. Ik bladerde wat in een beduimeld boek van Ross McDonald en vond daar dit juweeltje.

Ze had donkere wallen onder haar ogen, alsof ze de hele nacht was opgebleven. Amerikanen

werden nooit oud, ze gingen voor die tijd allemaal dood: en aan haar ogen kon je zien dat zij daarop geen uitzondering zou maken.

Met een hoofd vol angstige voorgevoelens liep ik naar het ziekenhuis.

Dat is 'm dus, zei ik ten slotte,
dat is dus de lijst
van wat mijn leven is geweest.
Alleen maar ruzies.
Alleen maar drank.
Kom hier, dan zal ik hem tekenen.
Een zwierige handtekening
en dan
een droeve kus.
Niet meer dan één, natuurlijk.

Onderweg naar het ziekenhuis kocht ik
Een pakje shag
Vloeitjes
Drie paar warme sokken.

Ik vroeg een portier waar ik moest zijn. Hij was niet erg mededeelzaam, maar dat zijn portiers nooit. Gewichtig doen hoort bij hun beroep. Ten slotte lukte het me om hem aan het praten te krijgen. Geld vermag alles. Hij zei,

'O ja, die ouwe zuipschuit... Hij ligt op de Sint-Jozefafdeling. Die raakt nooit meer een drankfles aan.'

'Bedankt voor de mededeling.'

'Wat?'

Ik herkende Padraig eerst niet. Dat kwam niet alleen doordat ze hem gewassen hadden, maar ook doordat hij een stuk gekrompen was.

'Gaat het?' vroeg ik.

'Ik mag hier niet roken.'

'De klootzakken. Zal ik er een voor je draaien?'

'Het zou me voor eeuwig aan je verplichten. Ze zijn hier niet overdreven op me gesteld. Hoe maken mijn broeders op het plein het?'

'Ik moest je van iedereen de hartelijke groeten doen.'

Ze waren hem allang vergeten. Dat wist hij zelf ook. Hij glimlachte zuinig. Ik stak het sjekkie aan en stopte het tussen zijn lippen. Hij moest zo hard hoesten en rochelen dat het bed stond te schudden. Hij zei,

'Daar had ik behoefte aan. Heb ik ooit mogen vernemen hoe je heet?'

'Jack.'

'Een naam die bij je past. Dat het toevallig ook de voornaam is van de fabrikant van mijn favoriete merk drank geeft het ook nog een ironisch tintje. Ik heb hier, zonder sigaretten en snakkend naar drank, na liggen denken over God. Ik geloof dat iemand ooit tegen me heeft gezegd dat Hij mijn naam kende voordat ik geboren was. Heb jij daar ook ideeën over?'

Ik keek schichtig de zaal rond. We werden door iedereen nadrukkelijk genegeerd. Ze wisten dat Padraig een alcoholist was. Hij begon te beven. De verwarming stond hoog. Ik voelde zweetdruppels in mijn baard. Er kwam een theewagentje langs. Erachter liep een man van middelbare leeftijd, die Rooney heette.

Rooney was een klein mannetje, en zo venijnig als de pest. Het gerucht deed de ronde dat mijn vader, de meest vredelievende man die je je voor kunt stellen, hem ooit een pak slaag had gegeven. Rooney deelde aan iedereen op de zaal thee en koekjes uit, behalve aan Padraig.

'Hé daar, Rooney,' riep ik.

Hij deed net of hij me niet hoorde en duwde het wagentje snel de gang op.

Koud.

Koud bloed in mijn aderen. Moordzucht.

Blind. Blinde woede.

Bij de hartbewaking had ik hem ingehaald. Met zijn priemende blik leek hij onaantastbaar. Zijn naambordje, met daarop 'Mr Rooney', verschafte hem een zekere status. Een blik die zei,

'Mij kun je niets maken!'

Ik ben een meter tachtig en weeg ruim tachtig kilo. Ik voelde me eens zo groot worden. Mijn stem klonk diep en dreigend.

'Kom je ook bij de Eerste Hulp?'

'Nee, daar kom ik niet. Ik kom alleen op...'

En hij noemde de namen van een hele rij heiligen, naar wie de verschillende afdelingen waren genoemd. Ik zei,

'Over vijf minuten lig jij op de Eerste Hulp, want ik ga namelijk je linkerarm breken!'

'Wat heb jij, Taylor? Ik heb je nooit iets misdaan. Je ouweheer en ik waren heel goeie vrienden.'

'Jij loopt nu terug de gang in. Je gaat met je handel de zaal op en dan geef je die man een kop thee... en doe er ook maar zo'n beschimmeld koekje bij.'

Hij ging op zijn tenen staan en vroeg,

'Ach man, zo'n drankorgel... wat kan jou dat nou schelen? Wat heb jij met hem te maken? Zulke lui willen helemaal geen thee.'

Bij die laatste woorden keek ik hem recht in zijn ogen. Ik gunde hem een blik op iets waarvan ik zelf niet graag toegeef dat ik het heb. Hij draaide het wagentje om en bracht Padraig zijn thee... en *twee* koekjes. Ik kreeg zelfs ook een kopje, maar ik bedankte voor het tweede.

Naderhand zei Padraig,

'Ik kan niet naar het plein om de uitslagen van de rennen te horen.'

'Dat kan best, als je dat wilt.'

'Nee. Ik zou graag die nieuwe sokken aan willen. Kun je... kun je ze me misschien aantrekken? Ik ben doodop.'

Dat was hij zeker.

Het waren rode thermische sokken. Op de voorkant van de verpakking stond... 'perfecte pasvorm'. Het werd me bijna te veel.

Ik sloeg de deken terug. Zijn voeten waren een ramp. Een serieuze romanschrijver zou ze omschreven hebben als

knokig
verwrongen
verminkt
en
vreselijk oud.

De sokken waren maatje medium. Ze waren veel te groot voor hem. Hij zag me kijken. Ik vroeg,

'Zitten ze lekker?'

'Geweldig. Ik voel me al een stuk beter. Vroeger heb ik eens een paar geruite wollen sokken gehad, of misschien denk ik dat alleen maar. Jij beschikt over een zeldzame gave, beste vriend.'

'Meen je dat?'

'Je bemoeit je nooit met iemands privé-zaken.'

'Dank je.'

Voor een privé-detective kon dit nauwelijks een aanbeveling zijn. Tijd om op te stappen. Ik zei,

'Volgende keer breng ik wat te drinken mee.'

Hij glimlachte breed en zei,

'Maakt niet uit wat.'

Waarna hij over de rand van het bed leunde en in een kastje begon te rommelen, waaruit hij een paar verfomfaaide velletjes papier tevoorschijn haalde. Hij zei,

‘Wees zo goed om dit te lezen, waarde vriend. Maar niet nu. Lees het als de tijd ervoor rijp is. Je weet zelf het beste wanneer dat is.’

‘Dat klinkt nogal geheimzinnig.’

‘Waar zouden wij zijn zonder de geheimen des levens?’

Vraag:	*'Wat weet je over geld?'*
Jongeman:	*'Niet veel.'*
Antwoord:	*'Geld bepaalt de verhoudingen tussen mensen.'*

Bill James, *Evangelie*

Toen ik het ziekenhuis uitliep, werd ik overvallen door melancholie. En door depressiviteit. Een donkere wolk waaruit een stem klonk, 'Maak er een eind aan.'

Vroeger was er recht tegenover het ziekenhuis een kroeg die 's morgens al open was. Uiteraard is die er nu niet meer. Nu zit op die plek de River Inn. Ik waagde het erop. De rivier was nergens te bekennen.

Achter de bar stond een jonge vrouw, compleet met naambordje:

SHONA

Vroeger heetten ze allemaal Mary.

Ze glimlachte naar me met een gebit vol kronen. Ik had meteen de pest aan haar en zei,

'Een Jameson met water.'

Met het idee dat ze daar niets aan kon verprutsen. Wat ze overigens ook niet deed.

Behalve dan dat ze er ijs in gooide. En wat nog erger was: ze bleef bij me in de buurt staan. Ik zei,

'Moet je niet even gaan flossen of zo?'

Ik ging bij het raam zitten. Het drong nu pas tot me door dat ik vergeten had om Padraig zijn geld te geven. Een vrouw van middelbare leeftijd liep van het ene tafeltje naar het andere om folders uit te delen. Zonder me aan te kijken legde ze er snel een op het tafeltje waar ik zat. Shona had haar ongetwijfeld gewaarschuwd. Ik las:

Tot op de dag van vandaag zijn zij,
net als hun voorouders, tegen mij in opstand gekomen. De zonen zijn opstandig en koppig....

Meer hoefde ik niet te lezen.

Mijn oog viel op een telefoon in de hoek. Ik moest een woest verlangen om Ann te bellen onderdrukken. Ik beet op een ijsblokje en wachtte tot het weer over zou gaan. In mijn hoofd vormde zich een mantra, die ongeveer zo ging:

Ik heb geld, bergen geld. Zolang ik geld heb, tel ik mee.
Al weet ik niet waarbij en bij wie, maar ik heb geld, dus tel ik mee.

Net zo lang tot het ijs in het glas was gesmolten.

Toen ik die avond bij het ziekenhuis aankwam, had ik een fles Jack Daniels voor Padraig bij me. Zijn bed was leeg. Ik klampte een langslopende verpleegster aan en vroeg,

'Is hij er niet meer?'

'Nee, helaas. Om halfvijf was het ineens gebeurd. Zacht en kalm.'

'Wát?'

'Hij heeft niet hoeven te lijden.'

'Maar... is hij dan dood?'

'Helaas wel... bent u familie?'

Ik probeerde mijn gedachten enigszins te ordenen en vroeg,

'Wat gaat er nu met hem gebeuren?'

Ze legde me uit dat, als er niemand kwam om hem op te halen, de Geneeskundige Dienst de begrafenis zou regelen. Ik zei,

'Een armengraf?'

'Dat heet tegenwoordig niet meer zo. Er is een deel van het kerkhof voor dit soort begrafenissen gereserveerd.'

'Dan regel ik het liever.'

Als in een roes werkte ik een santenkraam aan formulieren en vergunningen af. Ik belde zelfs een begrafenisondernemer die zei dat ze alles zouden verzorgen. Ik vroeg,

'Kan het contant?'

'Jazeker.'

Ik kan me de begrafenis van Padraig maar vaag herinneren. Ik was overal bij, tot en met de teraardebestelling, maar ik was zo zat als een aap. Er was uiteraard geen rouwstoet. Ik was de enige gast.

Maar nu komt het. Hij ligt vlak bij Sean. Ik had het niet beter kunnen bedenken. Volgens mij was Sutton er op een gegeven moment ook even, maar dat kan ook een vrome wens zijn geweest.

Ann was er in ieder geval niet.

Na afloop moest ik mevrouw Bailey mijn excuus aanbieden, want de afspraak voor een slaapmutsje was er bij ingeschoten. Ze keek me verbaasd aan en zei,

'Maar we hébben toch een slaapmutsje genomen.'

Stond me niets van bij. Ik probeerde niets te laten merken en zei,

'Ik bedoel... jammer dat ik u niet verder heb kunnen helpen.'

'Maar u heeft me juist uitstekend geholpen.'

'Vindt u?'

'Natuurlijk. Na uw vurige betoog denk ik er niet aan om de boel te verkopen.'

Sommige geheimen des levens moet men niet proberen te doorgronden. Daar had Padraig gelijk in gehad. Ten slotte kwam ik er aan toe om de velletjes papier die hij me had gegeven te bekijken.

Hij had het volgende geschreven:

Een Ierse Drinker Voorziet Zijn Dood
(met excuses aan W.B. Yeats)

Misschien was intuïtie wel de reden
dat ik op dat moment niets deed
en dat ik met zekerheid
bijna volkomen zekerheid
geloofde
dat vroeg of laat
het leven op straat
mijn dood zou worden.
Hoop was een saboteur
die mij te lang
één glas boven de wanhoop
deed leven.
Een kroeg,
een lijkstoet
en dan pas zul
je een drinker
een hand naar
zijn hart zien brengen.

Ik wist het wel:
dat hij zijn pet
- als hij die had bezeten -

langzaam
heel langzaam
zou hebben afgezet.
Bevende handen -
delirium... en geen moment denken aan
... Passende Stilte.

De stoet komt langs... voorwaarts... druk nu
zijn hand... de dagen door
een nieuw moment
dat zelfs de oudste
verwachting overtreft,
een hand die slechts verzoening zoekt...
en verder niets.

De kist komt niet langs
de dure hotels.
Hun handen
vormeloos
uitgestrekt
naar dat laatste,
allerlaatste restje spiritus.

BREEKPUNT

Hierna begon er schot in de zaak te komen. Ik wil niet beweren dat de dood van Padraig een keerpunt was, maar daar lijkt het wel op. Op een avond in de Nestor nam de barman me apart en zei,

'Ik hoef geen preek, maar vroeger dronk ik net zoveel als jij. Moet je zelf weten, maar volgens mij is er iets wat je dwarszit.'

'Waar heb je het over?'

'Je zit er bij met een gezicht of je ergens anders heen moet. Hier, asjeblieft.'

Hij gaf me een doosje. Ik had een heel strijdlustige bui en gromde,

'Wat heeft dit godverdomme te betekenen?'

'Dit zijn bètablokkers. Om te ontspannen. Net als coke, maar dan zonder schadelijke gevolgen.'

'Hoe kom je erbij dat ik...'

Maar hij zei dat ik sst... stil moest zijn en ging verder,

'Probeer ze nou maar... ontspan je... en als je problemen opgelost zijn, kom dan maar terug... dan kun je hier een rustig leventje leiden: kranten lezen, een paar pints en een fatsoenlijke kroeg.'

En weg was hij. Ik zei,

'Jij hebt hulp nodig, echt waar.'

Maar ik stak toch het doosje in mijn zak.

En geloof het of niet, maar de volgende morgen had ik een kater van jewelste. Uit wanhoop nam ik een van de pilletjes. Even later was ik een stuk rustiger.

Ik keek uit het raam, of liever gezegd, ik keek op mijn gemak uit het raam en zei,

'Dat wil niet zeggen dat ik nu niet meer drink.'

Maar dat was wel het geval.

De trouwpartij van Cathy B. had een enorme zuippartij moeten worden. Dat werd het ook, maar niet voor mij. De Burgerlijke Stand zit in Mervue, tegenover het Merlin Park-ziekenhuis. Ik zei tegen Cathy,

'Was je niet liever in de kerk getrouwd?'

'Kerken hebben zo'n negatieve uitstraling, Jack.'

Haar aanstaande, Everett, de performanceartiest, bleek minder erg dan ik gevreesd had. Erg, dat wel, maar het kon er mee door. Begin twintig, met een kaalgeschoren kop. Hij droeg iets wat volgens mij een kaftan heet, maar het konden ook gordijnen geweest zijn. Maar, eerlijk is eerlijk, ze waren wel netjes gestreken. Voor deze gelegenheid, nam ik aan. Cathy zag er schitterend uit. Ze droeg een eenvoudige rode jurk en schoenen met stilettohakken. Ze vroeg,

'Vind je d'r van?'

'Lady in Red.'

Brede glimlach. Toen ze me aan Everett voorstelde, zei hij,

'O ja... die ouwe gozer.'

Ik deed net alsof ik dat erg vond en vroeg toen,

'Hoe... gaat het met... het performen?'

'Op het moment doe ik even niets.'

'Aha.'

Einde gesprek. Ik ben wel eens grotere hufters tegengekomen, maar nog nooit één die zo jong was als hij. Cathy fluisterde,

'Hij is erg bescheiden. Binnenkort heeft hij een groot optreden, samen met Macnas.'

'Aha.'

Ik gaf haar de envelop. Ze gierde,

'Het lijkt *The Godfather Deel Twee* wel.'

De plechtigheid was

kort
afgemeten
koeltjes.

Een kerk is toch beter.

Na afloop was er een receptie in de Róisín. Er waren vaten drank voor aangerukt. Het was er stampvol. Allemaal van die kunstenaarstypes, die op vijftig meter afstand aan je kunnen zien dat jij niet bij hun clubje hoort. Maar de muziek was prima. Van bluegrass tot countrypunk en salsa. Het publiek genoot. Een jonge vrouw in een jurk van zwarte spijkerstof vroeg,

'Zin om te dansen?'

'Later misschien.'

Ze keek me geringschattend aan en zei,

'Later is voor jou misschien te laat.'

Ik weet het aan de baard. Ik kwam een paar keer vlak langs de bar en had bijna geroepen,

'Een dubbele Jameson en een pint.'

Maar ik liep door. Cathy vroeg,

'Moet je niets drinken?'

'Ja... maar...'

'Ik snap het. Je bent veel aardiger als je niet drinkt.'

Toen ik wegging, gaf ze me een dikke knuffel en zei,

'Wat ben je toch cool.'

Everett knikte me sloom toe en zei,

'Hou je taai, ouwe rukker.'

Wat ongetwijfeld als wijze raad was bedoeld.

In Dominick Street viel mijn oog op de krantenkoppen:

VOORAANSTAANDE ZAKENMAN SPOORLOOS
WERD GEZOCHT IN VERBAND MET
TIENERZELFMOORDEN

Ik kocht de krant en ging hem bij de brug zitten lezen. Het artikel kwam in het kort op het volgende neer:

Brendan Flood, een ex-politieagent, beweert over bewijzen te beschikken dat Bartholomew Planter, een vooraanstaande zakenman, betrokken was bij de dood van een aantal tienermeisjes, van wie aanvankelijk werd aangenomen dat ze zelfmoord hadden gepleegd. Op grond van de mededelingen van Flood zullen deze zaken worden heropend.

Hoofdinspecteur Clancy legde een korte verklaring af, waarin hij zei dat Planter niet thuis was aangetroffen en dat zijn verblijfplaats momenteel onbekend is.

Flood zei dat hij met deze informatie in de openbaarheid is getreden vanwege zijn recente bekering tot het christelijke geloof.

Hij noemde hierbij de naam van een andere ex-politieagent, Jack Taylor, die volgens Flood een belangrijke rol heeft gespeeld bij zijn besluit om deze informatie openbaar te maken.

Ik liet de krant zakken en dacht,

'Eindelijk beroemd.'

Ik slaakte een zucht van iets dat op opluchting leek. Het was nu dus bijna voorbij. Ann zou datgene krijgen waar ze zo wanhopig naar had verlangd: dat de wereld te weten zou komen dat haar dochter geen zelfmoord had gepleegd. Als je het artikel las, zou je denken dat ik degene was die de zaak aan het licht had gebracht. Maar in werkelijkheid had ik alles alleen maar verziekt en volkomen gedachteloos in het honderd laten lopen. En ook nog de dood van Ford veroorzaakt.

Ik smeet de krant weg.

Toen ik weer terug in mijn kamer was, stierf ik zowat van de dorst. Het stemmetje fluisterde,

'Zaak gesloten, bijna opgelost. Tijd voor een stevige borrel.' Ik nam een bètablokker en kroop m'n bed in.

"Clay bleef nog een tijdje zo staan. Hij schudde alleen maar zijn hoofd. Best grappig, als je erover nadacht: dat als je eenmaal iets verziekt hebt, je blijkbaar niet meer op kunt houden met dingen verzieken als je het er tenminste levend af wilt brengen."

George P. Pelecanos, *Eeuwige Rust*

De volgende morgen werd er in alle vroegte op mijn deur geklopt. Ik dacht dat het Janet was en zei,

'Binnen.'

Maar het was Sutton. Hij zei,

'Heb je iets te drinken voor me?'

'Koffie.'

'Da's klote. Je staat dus weer droog.'

'Tja... hoe zal ik het zeggen?'

Hij ging in de leunstoel zitten en legde zijn benen op het bed. Ik zei,

'Heb je gehoord dat Planter verdwenen is?'

'Natuurlijk. Maar ik weet iets wat jij niet weet.'

'Wat dan?'

'Ik weet waar hij is.'

'Dat meen je niet! Heb je het aan de politie verteld?'

'Ik vertel het aan jou. Jij bent toch bij de politie geweest?'

Toen ik naar de telefoon greep, zei hij,

'Dat is niet de bedoeling.'

'Hoe bedoel je?'

'Ik kan je wel naar hem toe brengen.'

Het duurde een paar tellen voor ik zei,

'Dus jij hebt hem ontvoerd!'

Weer dat glimlachje. Hij vroeg,

'Wil je met hem praten of niet?'

Ik zag geen andere uitweg en zei dus,

'Oké.'

Hij sprong overeind en zei,

'Vooruit met de geit!'

Weer die gele auto. Hij zei,

'Je raakt er aan gewend.'

Na een half uur rijden zei ik,

'Clifden?... Zit hij in Clifden?'

'Ik heb je toch verteld dat ik daar een huis had gehuurd. Kast van een ding. Ik heb je nog aangeboden om bij mij te komen wonen.'

'Heb je dan... heb je een huurder moeten kidnappen?'

Ergens vond ik het een krankzinnige grap, maar ik wilde toch precies weten wat er gebeurd was. Ik vroeg,

'Wat ben je met hem van plan?'

'Ik ga een portret van hem schilderen. Hij heeft me een opdracht gegeven, weet je nog wel?'

Uiteraard regende het toen we in de buurt van Clifden kwamen. Halverwege de Sky Road stopte hij bij een parkeerhaven en zei,

'Nu nog een stukje klimmen.'

Ik keek omhoog, maar kon nergens een huis ontdekken. Hij zei,

'Dat is het mooie, het is vanaf de weg niet te zien.'

Voordat ik halverwege de helling was, was ik doorweekt. Ik gleed twee keer uit in de modder. Pas toen we boven waren, zag ik het huis. Sutton zei,

'Hij zal blij zijn dat hij gezelschap krijgt.'

Het hele gebouw was donkergroen geschilderd. Het viel amper op in het landschap. Voor de ramen zaten luiken. Sutton haalde een sleutel tevoorschijn, deed de deur open en riep,

'Schat, ik ben thuis.'

Hij liep naar binnen. Ik hoorde hem schreeuwen,

'Godverdomme!'

Ik rende langs hem heen. In het halfdonker kon ik

een stapelbed onderscheiden. Boven het bed hing een menselijke gedaante. Sutton knipte het licht aan.

Planter hing aan een van de dwarsbalken met een laken om zijn nek. Aan zijn enkel had hij een voetboei, die naast het bed aan de muur was vastgeschroefd. Ik keek even naar zijn gezicht. Het was duidelijk dat hij erg geleden had.

Vlak bij het bed stond een schildersezel met een voorbewerkt doek erop. Sutton zei,

'De klootzak heeft de weg van de minste weerstand gekozen.'

Ik keek weer naar het gezicht van Planter en zei,

'Noem jij dat de minste weerstand... Jezus!'

Sutton liep naar een kast en haalde een fles whiskey tevoorschijn. Hij vroeg,

'Jij ook?'

Ik schudde mijn hoofd. Hij nam een grote slok en hijgde,

'Pfff... dat helpt.'

Ik liep naar Sutton toe en vroeg,

'Heb jij hem vermoord?'

De whiskey had zijn ogen al bereikt. Hij keek me met een woeste blik aan en zei,

'Denk je verdomme dat ik gek ben?'

Ik gaf geen antwoord. Hij nam nog een slok. Ik vroeg,

'En nu?'

'We laten hem bij Nimmo's Pier in het water zakken. Gerechtigheid!'

'Ik vind van niet.'

'Dan moeten we de klootzak begraven.'

Aldus geschiedde. Achter het huis. Het regende pijpenstelen en de grond was zo hard dat we er twee uur over deden om een kuil te graven.

Toen dat ten slotte gebeurd was, vroeg ik,

'Moeten we nog iets zeggen voor we hem begraven?'

'Ja, iets kunstzinnigs, want hij was gek op schilderijen.'

'Heb jij een idee?'

'Ja.'

Waarna hij zei,

'Zijn grootste verlangen

Was in Clifden te hangen.'

Tegen de tijd dat we terug in Galway waren, was het zes uur 's avonds. Ik was drijfnat, smerig en doodop. Toen Sutton de auto parkeerde, zei hij,

'Niet mee zitten. Wist je dat hij bekend heeft? Hij gaf de meisjes Rohypnol.'

'Waarom heeft hij ze verdronken?'

'Zomaar, voor de lol.'

'Jezuschristus!'

Het leek of hij over iets nadacht. Ik vroeg,

'Wat is er?'

'Hij heeft me alles over de meisjes verteld. Ik bedoel, het leek of hij het me wilde vertellen. Maar...'

'Maar wat?'

'Hij zei dat dat meisje van Henderson... je weet wel... Sarah...'

'Wat zei hij over haar?'

'Dat hij haar niet vermoord heeft – dat was zelfmoord.'

'Dat loog hij. De klootzak.'

'Waarom zou hij liegen? Ik bedoel, hij heeft verder alles toegegeven.'

Ik stapte half uit en zei,

'Hoor eens... ik geloof dat we elkaar voorlopig even niet moeten zien.'

'Begrijp ik.'

Waarna hij er met piepende banden vandoor scheurde.

Als het stof gaat liggen
heb je enkel nog maar
stof.

De zoektocht naar Planter was een tijdje voorpaginanieuws. Na een paar weken werd dat minder en nam Planter zijn plaats in tussen Shergar, Lord Lucan en andere mysterieuze verdwijningen. Cathy B. ging een maandlang op huwelijksreis naar Kerry. Ann liet niets meer van zich horen.

Ik dronk geen druppel.

Sutton belde me één keer op. Volkomen onverwacht.

'Jack... ouwe makker, hoe gaat-ie?'

'Lekker.'

'Je vindt het toch niet erg dat ik bel, hoop ik? Ik bedoel... we hebben samen toch het een en ander meegemaakt, niet?'

'Dat zal wel, als jij dat zegt.'

'Ik hoorde dat je nog steeds niet drinkt.'

'Dat heb je goed gehoord.'

'Als je ooit uit de band wilt springen, weet je wie je bellen moet.'

'Zeker.'

'Jack, wil je horen waar ik nu mee bezig ben?'

'Als je me dat wilt vertellen.'

Kun je iemand ook horen grijnzen? Zo klonk het tenminste. Hij zei,

'Met schilderen. Ik schilder de godganse dag.'

'Leuk.'

'Jack, laat gauw eens wat van je horen. Oké?'

En daarna hing hij op.

AUTOPSIERAPPORT

Lichaam van een blanke man
Leeftijd: ca. 55 jaar
Tatoeage op de rechterschouder, voorstellende een engel
Doorvoed postuur
Gewicht: 80 kilo
Lengte: 1,80 meter
Doodsoorzaak: verveling

Zo zou het gaan, bedacht ik. Ik kon mijn naakte, spierwitte weke romp al op de metalen sectietafel zien liggen.

Ik hoorde zelfs de droge, afstandelijke toon van de patholoog-anatoom.

Dat soort gedachten spookten voortdurend door mijn hoofd.

Tijd dus om op te stappen.

Ik had nog behoorlijk wat geld. Ik stapte een reisbureau binnen. Een vrouw van middelbare leeftijd, met een badge waarop 'JOAN' stond, zei,

'Ik ken u ergens van.'

'O ja?'

'Had u geen verkering met Ann Henderson?'

'"Had" is hier precies het juiste woord.'

Ze zei afkeurend,

'Ts ts.'

Een bizar geluid. Ze ging verder met,

'Eeuwig zonde. Ann is een prachtmens.'

'Kunnen we het misschien even over reizen hebben?'

Dat vond ze niet leuk. Ze zei,

'O, neem me niet kwalijk. Wat kan ik voor u doen?'

'Een ticket naar Londen.'

'Vertrekdatum?'

'Over een dag of tien.'

'Even zien... dat gaat kosten... retourtarief...'

'Joan... hallo... ik wil een enkele reis.'

Ze keek met een ruk op en vroeg,

'Komt u niet terug?'

Ik probeerde mijn verstarde glimlach. Ze zei,

'Wat u wilt.'

Een paar minuten later had ik mijn ticket. Ik vroeg,

'Contant?'

Dat kon, al ging het niet van harte. Toen ik wegging, zei ik,

'Ik zal je missen, Joan.'

Ik durf te zweren dat ik Padraig bij de fontein zag toen ik het plein overstak. Ik vroeg me af, 'Zou het waar zijn wat ze over nuchter zijn zeggen?'

Ik liep naar de Nestor. De wachter zat er ook. Hij zei,

'Ik heb iets over je in de krant gelezen.'

'Dat moet dan toch een hele tijd geleden geweest zijn.'

De barman glimlachte. Ik was er ondertussen achter gekomen dat hij Jeff heette. Hoewel ik hier iedere dag kwam, was ik verder niets over hem te weten gekomen. Ik schatte dat hij ongeveer even oud was als ik. Hij had ook iets verwards en verslagens over zich, wat volgens mij verklaarde waarom ik me in zijn gezelschap zo op mijn gemak voelde.

Ik ging op mijn harde stoel zitten en hij kwam koffie brengen. Hij vroeg,

'Mag ik er even bij komen zitten?'

Dat verbaasde me. Onze relatie leek me eerder gebaseerd op een elkaar vriendelijk ontwijken. Ik zei,

'Tuurlijk.'

'Heb je wat aan die bèta's gehad?'

'Ik drink niet meer.'

Hij knikte, leek even verschillende mogelijkheden te overwegen en zei toen,

'Zal ik je de waarheid vertellen of gewoon met je meelullen?'

'Wat?'

'Dat zei Tom Waits ooit eens tegen een journalist.'

'Tom Waits... die lust er zelf ook wel een.'

Hij wreef met zijn handen door zijn haar en zei,

'Ik ben niet zo goed in vriendschappen. Niet dat ik mensen opzettelijk beledig of zo. Mijn vrouw is bij me weggegaan omdat ze vond dat ik me te onafhankelijk opstelde.'

Ik had geen idee waar hij heen wilde. Maar ik ben een Ier, en dus weet ik hoe het werkt. De verbale interactie, bedoel ik. Iemand vertelt je iets heel persoonlijks, en dan is het de bedoeling dat je zelf ook weer iets persoonlijks terugzegt. Stukje bij beetje. Zo ontwikkelt zich een vriendschap – of niet.

Een wandkleed van woorden.

Ik begon met,

'Het zit me niet mee wat vrienden betreft. Twee van mijn beste vrienden zijn nog niet zo lang geleden begraven. Ik weet niet wat ze behalve een paar goedkope grafkransen aan me hebben overgehouden. Een krans, en een paar warme sokken. Dat is het wel zo'n beetje.'

Hij knikte en zei,

'Ik haal de koffiepot even.'

Wat hij vervolgens ook deed.

Na de volgende dosis cafeïne zei hij,

'Ik weet het een en ander over je. Niet dat ik mensen over je uit zit te horen, maar ik ben barman en dan hoor je wel eens wat. Ik weet dat je geholpen hebt om die zelfmoordzaak aan het licht te brengen. En dat je vroeger bij de politie was. Ze zeggen dat je een keiharde bent.'

Ik liet een schamper lachje horen. Hij ging verder met,

'Ik... ik speelde vroeger in een band. Heb je wel eens van Metal gehoord?'

'Heavy Metal?'

'Dat heb je ook, maar de band heette zo. Metal. Eind jaren zeventig waren we een groot succes in

Duitsland. Daar heb ik trouwens deze kroeg van kunnen kopen.'

'Speel je nog steeds?'

'Jezus nee, maar dat deed ik toen ook niet. Ik schreef de teksten. Daar hoefde ik niet veel moeite voor te doen, want als ze staan te headbangen letten ze toch niet op de woorden. Maar poëzie is nog steeds een van mijn grote hobby's. Poëzie, en motorfietsen.'

'De logica achter die combinatie kan ik niet helemaal volgen.'

'Niet zomaar motorfietsen. Alleen Harleys. Ik heb zelf een Softail met een heleboel custom.'

Ik knikte alsof ik precies begreep waar hij het over had, maar het zei me geen moer. Hij ging verder,

'Het probleem is dat je haast niet aan onderdelen kunt komen. En net als bij alle andere grote merken: ze laten het nogal eens afweten.'

Nog één keer knikken en het zou een tic worden.

Hij was nu niet meer te houden. Om de waarheid te zeggen beneed ik zijn enthousiasme. Ik word jaloers als mensen met zo'n overgave ergens over kunnen praten. Hij zei,

'En dan nu poëzie. Poëzie laat het nooit afweten. Ik heb alle klassieke dichters in m'n kop zitten... wil je weten wie dat zijn?'

Hier kon ik op safe spelen. Wat maakte het trouwens uit? Ik zei,

'Yeats
Wordsworth.'

Hij schudde zijn hoofd en zei,

'Rilke

Lowell
Baudelaire
MacNeice.’

Hij keek me recht in de ogen en zei,

‘Het dient allemaal ergens voor. Misschien komt er ooit nog een dag dat ik je dat uit kan leggen.’

Hij gaf me een stapeltje papieren en zei,

‘Hier in Galway wonen ook dichters. Dit is werk van mensen die hier wonen. Er is een gedicht bij van Fred Johnston... misschien heb je daar wat aan om al die sterfgevallen van de laatste tijd te helpen verwerken.’

‘Heel erg bedankt.’

‘Je hoeft ze niet meteen te lezen. Neem er rustig de tijd voor, kijk maar hoe het bevalt.’

Daarna ging hij verder met dingen die barmannen altijd doen. De wachter zei,

‘Ik heb in de krant iets over je gelezen.’

Ik kon enkel hopen dat dat geen mantra van hem zou worden.

"Hij had kunnen zeggen dat het niet eerlijk was maar dat had hij al ontelbare keren in zijn leven gezegd. Hoewel het een ware gedachte was, trok de werkelijkheid er zich bitter weinig van aan."

T. Jefferson Parker, *De Vrouwen van Ortega Highway*

Het was de hele week prachtig weer. De zon scheen van de vroege ochtend tot de late avond. Heel Galway ging uit z'n dak. Men liet het werk voor wat het was; iedereen liep buiten rond om van de zon te genieten. Waarschuwingen dat dit huidkanker kon veroorzaken werden volkomen genegeerd.

Op de hoek van iedere straat stonden ijsverkopers. Dronken herrieschoppers maakten luidruchtig kabaal. En, nog erger: mannen in korte broek! Met sokken en sandalen. Een van de afgrijselijkste beelden van deze tijd.

Ik loop niet graag in de zon.

Ik ben al blij als het niet regent. Alles wat daarna komt is overdreven. Ik vertrouw het voor geen stuiver. Het maakt een verlangen in je wakker. Verlangen naar iets dat vroeg of laat toch weer voorbijgaat.

Ik zat op Eyre Square in de schaduw. Ik keek naar de meisjes. De meesten hadden al een rode huid. Het wachten was op de blaren. Ik hoorde mijn naam... en daar was broeder Malachy. In burger, met een kakibroek en een wit T-shirt. Ik vroeg,

'Zo, een vrije dag?'

'Is het niet vreselijk warm?'

'Vreselijk' heeft altijd een dubbele betekenis. Iets is vreselijk goed of vreselijk slecht. Maar je vraagt nooit wat iemand met zo'n opmerking bedoelt. Ze gaan er van uit dat dat zonder meer duidelijk is.

Ik vroeg dus niets. Hij zei,

'Het valt niet mee om je te vinden.'

'Dat ligt eraan wie me zoekt.'

'Ik ben gisteren op het strand geweest. Wat was het

daar druk! Heerlijk gezwommen. Weet je wie ik tegen ben gekomen?'

'Malachy, ik kan je verzekeren dat ik geen flauw idee heb.'

'Die vriend van je... Sutton.'

'O ja?'

'Wat een nors type, zeg.'

'Hij heeft het niet zo op priesters begrepen.'

'Vind je het gek? Hij komt uit Noord-Ierland! Ik zei gedag en vroeg of hij nog had gezwommen.'

Ik schoot ongewild in de lach. Malachy ging verder met,

'Hij zei dat hij niet kon zwemmen. Had jij dat van hem gedacht?'

Er kwam een vrouw langs die zei,

'Goedendag, meneer pastoor.'

Hij zei,

'Ik moet er vandoor. Over een uur moet ik op de golfbaan zijn.'

'Onze Lieve Heer is wel erg veeleisend.'

Hij keek aan met de blik van een geestelijke en zei,

'Jij hebt ook nergens respect voor, hè Jack?'

'O, jawel hoor. Alleen niet voor dezelfde dingen als jij.'

Hij ging er vandoor. Het leek of er ineens veel minder schaduw was, maar dat kwam waarschijnlijk door de speling van het licht.

Aan de weg naar het kerkhof in Rahoon ligt een nieuw hotel. Over strategisch plannen gesproken. Ik was even in de verleiding om er naar binnen te gaan, maar liep toch maar verder.

De hitte was moordend. Dat is het verhaal van mijn leven: als iedereen naar het strand gaat, loop ik naar het kerkhof. Het zonlicht weerkaatste op de zerken bij wijze van berekende wraak. Ik knielde bij het graf van Sean. Ik zei,

'Ik drink niet meer... hoe vind je dat?'

Daarna liep ik naar Padraig en zei,

'Ik heb geen bloemen meegebracht, maar wel een gedicht. Misschien ben ik wel een waardeloze klootzak, maar dan toch op z'n minst een waardeloze kunstzinnige klootzak. En godnogantoe, wat hield jij van woorden! Hier komt het,

BEGRAFENIS OP HET PLATTELAND

Ze liggen er, met rechts van hen de zee,
De zachte bries langs de heuvel herdenkt. Daarachter komen
Velden vol rotsen en veen,
En dode bomen.

Een witte kerk staat in de waterige zon
De donkere deur kijkt uit over eilanden langs de kust
Korte gebeden stijgen naar lage, donkere wolken
En vinden rust.

De lijkwagen hapert; zwarte verf bladdert
Van de roestende carrosserie, het chroom vertoont zweren.
De tijd is meester van dit al, ook hier, waar ooit
De doden huiswaarts keren.

Het zweet liep tappelings langs mijn lichaam. Ik begon het pad tussen de graven af te lopen. Vanaf de andere kant zag ik Ann Henderson aankomen. Ik berekende dat we elkaar bij het hek tegen zouden komen. Ik overwoog even om terug te gaan, maar ze had me al gezien. Ze zwaaide zowaar naar me.

Toen ik bij haar kwam, glimlachte ze. Waanzinnige hoop deed mijn hart als een razende tekeergaan. Ik voelde nu hoe erg ik haar gemist had. Ze zei,

'Jack!'

En, origineel als altijd, antwoordde ik,

'Ann.'

Ik raapte mezelf bij elkaar en vroeg,

'Trek in een frisdrankje?'

'Ja, graag.'

We liepen naar het hotel. Ze zei,

'Is het niet vreselijk warm?'

En dat ze erg opgelucht was toen ze hoorde dat Sarah geen zelfmoord had gepleegd.

Ik zei erg weinig. Ik was doodsbang dat ik de kleine kans die ik volgens mij nog steeds had, zou verprutsen. We liepen het hotel binnen en bestelden grote glazen jus met bergen ijs. Ze zei er niets van dat ik geen alcohol had genomen. Voordat ik de kans kreeg om iets aardigs tegen haar te zeggen zei ze,

'Jack, ik heb geweldig nieuws.'

'Laat horen.'

'Ik heb een fantastische man ontmoet.'

Ik weet dat ze verder nog het een en ander zei, maar ik luisterde niet meer. Ten slotte stonden we op om te vertrekken. Ze zei,

'Ik ga een taxi bellen. Wil jij zover meerijden?'

Ik schudde mijn hoofd. Gedurende één vreselijk moment dacht ik dat ze me een hand wilde geven. In plaats daarvan boog ze zich naar me toe en kneep in m'n wang.

Terwijl ik in de moordende hitte terugliep naar Newcastle, hield ik mijn gezicht omhoog naar de zon en zei,

'Cremeer me dan, stuk verdriet.'

MOBIEL

Toen ik weer terug op mijn kamer was, was ik kapot. Ik had zo'n behoefte aan drank dat ik de smaak van whiskey in mijn mond kon proeven. Mijn hart lag als een dood voorwerp in mijn borstkas. Ik brulde een Ierse kreet die ik me nog uit mijn jeugd herinnerde,

'*An bronach mhor.*'

Vrij vertaald betekent het zoiets als 'wee mij', maar een meer eigentijdse vertaling is wellicht,

'Alles naar de kloten.'

En dat was ook zo.

Zou ik, op mijn leeftijd – ik was rond de vijftig – ooit nog verliefd kunnen worden?

Droom maar lekker door.

Uit het niets kwam een idee opzetten:

'Zou het geen goed idee zijn om nuchter uit Galway te vertrekken?'

Ik stond op en nam een bètablokker. Ik mompelde,

'Ik moet nog van alles doen. Me klaarmaken voor de reis.'

Dankzij Nick Hornby is het maken van lijstjes in zwang gekomen. Ik ging er ook een maken, speciaal ter gelegenheid van mijn vertrek.

Inpakken:

Drie witte overhemden
Drie spijkerbroeken
Eén kostuum
Wat boeken
Twee video's.

En zei vervolgens,

'Laat dat klotekostuum maar zitten.'

Ik kon het grootste deel van mijn bezittingen in een schoudertas stoppen en daarna wat Galway betrof tot de geschiedenis behoren. Ik controleerde mijn vliegticket. Nog vijf dagen. Ik liep naar de receptie. De bèta begon al te werken. Ik was volkomen relaxed.

Mevrouw Bailey vroeg,

'Meneer Taylor, gaat het wel goed met u?'

'Natuurlijk wel.'

'U kijkt zo vreemd uit uw ogen.'

'Er is shampoo in gekomen.'

We lieten die leugen maar even voor wat zij was.

Ik zei,

'Mevrouw Bailey, ik ga een tijdje weg.'

Het leek haar niet te verbazen. Ze zei,

'Ik zal de kamer voor u gereserveerd houden.'

'Maar misschien blijf ik wel heel lang weg.'

'Maakt u zich maar geen zorgen, we hebben altijd wel een plekje voor u.'

'Dank u.'

'Ik vond het fijn dat u hier was. U bent een goed mens.'

'Dat zou ik zo niet weten.'

'Natuurlijk weet u dat zelf niet, dat is juist het goede in u.'

'Kan ik u nog trakteren op een slaapmutsje voordat ik vertrek?'

'Jongeman, ik stá erop dat u dat doet.'

Buiten stond een gele auto geparkeerd. Boven het nummerbord zat een sticker met 'CLFD' erop. Ik tikte tegen het portierraampje. Sutton zei,

'Ben je daar?'

'We hadden toch afgesproken dat je me niet meer zou achtervolgen?'

'Ik achtervolg je niet. Ik zit op je te wachten.'

'Wat is het verschil?'

'Dat zou jij moeten weten. Jij bent tenslotte detective.'

Hij stapte uit, rekte zich uit en zei,

'Dat surveilleren is anders een klotebaan!'

Hij was helemaal in het zwart gekleed. Zwarte trui, gevechtsbroek, Nikes. Ik vroeg,

'Vanwaar die kleren?'

'Ik ben in de rouw.'

'Ik weet niet of dat van goede smaak getuigt.'

Hij stak zijn hand in de cabine naar binnen, haalde een weekendtas tevoorschijn en zei,

'Ik heb wat voor je meegebracht.'

'Waarom?'

'Ik heb weer een schilderij verkocht; kom mee, dan trakteer ik op een lekkere pint... oeps... koffie en overlaad ik je met geschenken.'

Ik bedacht dat dit waarschijnlijk de laatste keer zou zijn.

We gingen naar Elles in Shop Street. Sutton zei,

'Daar hebben ze lekkere cappuccino.'

Wat ook zo bleek te zijn.

Op het schoteltje lag zelfs een Italiaans chocolaatje. Sutton beet op het zijne en zei,

'Mmm... lekker.'

'Neem dat van mij ook maar.'

'Meen je dat? Ze zijn anders verdomd lekker.'

Hij stak zijn hand in de weekendtas en haalde twee mobieltjes voor de dag. Hij legde er een voor me neer en zei,

'Een voor jou.'

En legde de tweede bij zichzelf neer. Ik zei,

'Ik hoef niet zo'n ding.'

'Natuurlijk wel. Ik heb ze voor een habbekrats op de kop kunnen tikken. Vanaf nu staan we echt met elkaar in verbinding. Ik ben tenminste zo vrij geweest om mijn nummer bij jou in het menu te zetten.'

Hij ging weer met zijn hand in de tas en haalde er een klein, ingelijst schilderij uit. Nimmo's Pier. Hij zei,

'Je hoeft me niet te vertellen dat je het goed vindt. Dat weet ik al. Maar het is wel... iets waardevols. Er zijn mensen die mijn schilderijen verzamelen.'

Ik wist niet zeker hoe ik verder moest gaan en koos voor de directe benadering. Ik zei,

'Ik ga weg.'

'Jezus, man, je kunt toch eerst wel je cappuccino opdrinken?'

'Nee, ik bedoel... ik ga weg uit Galway.'

Daar keek hij echt van op. Hij vroeg,

'Waarheen?'

'Londen.'

'Klotestad. Ik bedoel, je drinkt niet eens. Wat moet je in godsnaam nuchter in Londen doen?'

'Een heleboel mensen schijnen dat blijkbaar wel te weten.'

'Natuurlijk, brave burgers en spoken. Wat ga je daar doen?'

'Iets huren in Bayswater en afwachten.'

'Tot je een ons weegt, zeker. Ik geef je hooguit een week.'

'Bedankt voor het in mij gestelde vertrouwen.'

'Aarrgh... Londen... Jezuschristus. Wanneer?'

'Over een dag of vijf.'

'Gaan we nog een afscheidsdrankje nemen of niet?'

'Tuurlijk.'

Waarbij ik op het mobieltje wees en zei,

'Ik kan je bellen.'

'Moet je doen. Liefst 's nachts. Ik kan toch niet slapen.'

'Nee?'

'Zou jij dat wel kunnen... als er vlak onder je raam iemand begraven ligt?'

Ik ging staan en zei,

'Ik stel je geschenken zeer op prijs.'

'Dat is fijn. Hang dat schilderij maar in je kamer in Bayswater. Jezus, Londen...'

Hij zat nog steeds met z'n hoofd te schudden toen ik naar buiten liep. In Shop Street was van alles te doen,

mimespelers
straatmuzikanten
vuurvreters.

Er zat iemand met stukjes ijzerdraad te werken. In een paar minuten kon hij de meest verbazingwekkende figuren maken. Ik vroeg aan hem of hij ook dingen op bestelling maakte. Hij zei,

'Alles, behalve geld.'

Vijf minuten later had hij gemaakt wat ik hem gevraagd had. Ik gaf hem een paar pond en zei,

'Jij hebt talent.'

'Dat moet je tegen de Arts Council zeggen.'

"En die dag zul je beginnen de eenzaamheid te bezitten, waarnaar je zo lang hebt verlangd. ... Vraag niet, wanneer dat zal zijn, of waar het zal zijn, of hoe het geschieden zal: op een berg, of in een gevangenis, in een woestijn of in een concentratiekamp. ... Het doet er niet toe. Vraag het Mij daarom niet, Ik zal het niet zeggen. Je zult het niet weten voor je er middenin bent."

Thomas Merton, *Louteringsberg*

Ik ging naar het ziekenhuis, waar het gips van mijn vingers werd gehaald. Toen ik mijn vingers zag, leken ze gekrompen, verschrompeld. De dokter gaf me een balletje en zei,

'Overdag steeds in knijpen, dan komt de kracht langzaam maar zeker vanzelf terug.'

De verpleegster stond me aan te staren en ik vroeg,

'Wat is er?'

'Nu kunt u zich weer scheren.'

Ik voelde aan mijn baard en vroeg,

'Vindt u hem niet mooi staan?'

'Hij maakt u oud.'

'Ik voel me ook oud.'

'Ach, schei toch uit.'

Ierse verpleegsters: ik zal ze missen, dacht ik. Ik had met Cathy B. afgesproken bij de Nestor. Ze vroeg,

'Waar is dat?'

Ik vertelde haar hoe ze er komen moest. Het was nog steeds mooi weer. De zon deed pijn aan mijn ogen.

Bij de Nestor werd ik door de wachter volkomen genegeerd, zodat ik aannam dat er een einde aan mijn roem was gekomen. Ik ging op mijn harde stoel zitten en Jeff bracht de koffie. Ik zette het dingetje dat ik op straat had gekocht voor me op tafel. Hij zei,

'Te gek!'

Het was een miniatuur van een Harley, perfect tot in de kleinste details. Ik zei,

'Dit is mijn manier van afscheid nemen.'

'Ga je dan weg?'

'Ja.'

Hij vroeg niet

waarheen
wanneer
of zelfs maar
waarom.

Hij knikte enkel.

Cathy stormde binnen, keek om zich heen en zei,

'Wat is dit... een keuken of zo?'

'Welkom thuis, mevrouw... hoe heet hij ook al weer?'

'Mevrouw Teleurgesteld.'

'Wat?'

'Everett is bij me weg. Hij kwam in Listowel een Amerikaanse tegen en ging er met haar vandoor.'

'Jezus, wat erg.'

'Helemaal niet, hij was een eersteklas lul.'

Jeff kwam aanlopen en zei,

'Iets drinken?'

'Een spritzer, graag.'

Ik was in de verleiding om er ook een te nemen. Ze keek Jeff na en zei,

'Lekker kontje.'

'Hij is gek op motorrijden.'

'Echt mijn type.'

Hij kwam haar wijn-met-limonade brengen en schonk haar zijn innemendste glimlach. Volgens mij maakte Jeff nog wel kans bij de vrouwen. Cathy zei,

'Oudere mannen hebben klasse.'

Ik lachte alsof ik dat echt een leuke opmerking vond en zei,

'Ik ga naar Londen verhuizen.'

'Niet doen.'

'Wat?'

'Ik kom zelf uit Londen... weet je nog? Bespaar jezelf de reis.'

'Alles is geregeld. Ik heb al een ticket.'

'Dan zoek je het zelf maar uit.'

Ze nam een slokje uit haar glas en zei,

'Zalig.'

'Cathy, ik meen het. Ik ga echt weg.'

'Weet jij of die barman getrouwd is?'

'Nee... hij heeft vroeger in een band gespeeld.'

'Ik ben verliefd.'

'Cathy... hé... mag ik even je aandacht? Heb je geld nodig?'

'Nee, ik heb binnenkort weer een paar optredens.'

Ik ging staan en vroeg,

'Zin in een wandeling? Gaan we de zwanen voeren.'

'Ik blijf nog even, ik ga proberen die vent te versieren.'

Ik had verwacht dat ze me zou omhelzen, maar ik zou ook genoegen hebben genomen met een kushandje. Ik zei,

'Tot ziens dan maar.'

'Ja, ja, tot over een tijdje.'

Ik kneep met mijn linkerhand in het balletje. Misschien hielp het, maar ik merkte er niets van.

STORMEN

Ik had een vreselijk nare droom. Net zoals die kerel in die film, die badend in het zweet wakker wordt en brult,

'Vietnam... hier kom ik.'

Zoiets dus.

Ik droomde over Padraig, Sean, Planter, Ford, Sarah Henderson. Ze stonden voor me in een rij, hun dode oogkassen waren zwart. Ze staken hun handen naar me uit. Wegrennen hielp niet, ze bleven voortdurend voor me staan. Ik schreeuwde,

'Laat me met rust, anders ga ik weer drinken.'

Ik werd met een kreet wakker. Het zonlicht viel door de ramen, en ik voelde een doodsangst als nooit tevoren. Ik strompelde mijn bed uit en nam snel een bètablokker. Als ik nog had geweten hoe ik moest bidden, zou ik dat gedaan hebben. Ik zei,

'Sé do bheatha, a Mhuire.'

De eerste regel van het weesgegroetje in het Iers. Op mijn lagere school werd in de laagste klassen uitsluitend Iers gesproken. In de hogere klassen moesten we onze gebeden opnieuw leren, maar nu in het Engels. Daartussenin kon ik niet behoorlijk bidden.

Ik geloofde dat ik na mijn dood rechtstreeks naar de hel zou gaan. 's Nachts was ik doodsbang. Toen ik eenmaal aan de nieuwe liturgie gewend was geraakt, nam die angst wat af, maar ergens bleef ik toch het idee houden dat het veiliger voor me was om in het Iers te bidden.

Maar het geluk zou me weldra toelachen. Toeval

ontstaat als God zich even gedeisd houdt. Als Hij even de paparazzi wil ontlopen.

Ik had gedoucht, een mok slappe koffie naar binnen gewerkt en me aangekleed. Ik droeg een bijna wit geworden denimshirt, een donkerbruine corduroybroek met strakke pijpen en de bordeelsluipers. Ik kon zo uit een onscherpe reclamefoto van American Express zijn weggelopen.

Er werd geklopt. Ik hoopte dat het Sutton niet was.

Janet.

Ze zei,

'Sorry dat ik stoor.'

'Geeft niet.'

'Mevrouw Bailey zei dat je weggaat.'

'Dat klopt.'

'Ik wilde je nog wat geven.'

Ze stak haar hand uit. Een zwarte rozenkrans. Het leek of de kralen glommen. Toen ik hem aanpakte, stak hij als een paar handboeien af tegen de bijna witte spijkerstof. Ze zei,

'Hij is in Knock gezegend.'

'Ik vind dit erg ontroerend, Janet. Ik zal hem altijd bij me houden.'

Ze werd verlegen. Ik ging verder,

'Ik zal je missen.'

Ik bloosde. Dat zie je tegenwoordig niet vaak meer, en dus zei ik, om de aandacht af te leiden,

'Hou je van chocola?'

'Daar ben ik gek op.'

'Dan ga ik een ontzettend grote doos chocola voor je kopen.'

‘Zo een met een hondje op het deksel?’
‘Precies.’
Ze vertrok met een dieprode blos op haar wangen.
Ik legde de rozenkrans onder mijn kussen. Ik kon alle hulp gebruiken.

Toen ik in de richting van het standbeeld van Pádraic Ó Conaire liep, werd ik door een garda aangesproken. Ik dacht,

'O jee.'

Hij vroeg,

'Bent u meneer Taylor? Jack Taylor?'

Als ze je met 'meneer' gaan aanspreken, is het tijd om een advocaat te bellen. Ik zei,

'Ja.'

'Hoofdinspecteur Clancy wil u graag even spreken. Wilt u even meelopen?'

Hij ging me voor naar een zwarte Daimler. Het achterportier ging open en een stem zei,

'Stap in, Jack.'

Ik stapte in.

Clancy was in groot tenue, compleet met epauletten en medailles. Hij was nog dikker dan de vorige keer. Ik zei,

'Kom je niet meer zo vaak op de golfbaan?'

'Wat?'

'Golf. Ik hoor dat je tegenwoordig met hoge pieten speelt.'

Hij had een paars gezicht met uitpuilende ogen. Vroeger was hij zo mager als een lat. Hij zei,

'Je zou het ook eens moeten proberen, erg goed voor je gezondheid.'

'Ik kan niet ontkennen dat jij daar het levende bewijs van bent.'

Hij schudde zijn hoofd en zei,

'Altijd een antwoord paraat, hè Jack?'

De chauffeur was een kleerkast van een vent. De

spierbundels in zijn nek puilden uit zijn boordje. Clancy zei,

'Misschien moet ik je mijn excuses aanbieden.'

'Misschien?'

'Vanwege die zelfmoorden. Ik heb begrepen dat je iets ontdekt had.'

'En jijzelf, meneer de hoofdinspecteur, heb jij ook iets ontdekt... zoals de verblijfplaats van Planter, bijvoorbeeld?'

Clancy zuchtte en zei,

'Die is er al lang en breed vandoor. Voor geld is tenslotte alles te koop.'

Ik ging daar liever niet op in en zei,

'Ik ga hier weg.'

'Aha. Mag ik hopen dat je vriend Sutton met je meegaat?'

'Dat denk ik niet. Hij heeft hier zijn muze gevonden.'

Daarna was Clancy even stil. Toen zei hij,

'Wist je dat hij ooit bij de politie heeft gesolliciteerd?'

'Sutton?'

'Ja. Hij is afgewezen, er zijn nu eenmaal bepaalde criteria.'

'Weet je dat zeker? Ze hebben ons indertijd toch ook aangenomen?'

Er verscheen een grimmig lachje op zijn gezicht. Hij zei,

'Je had het heel ver kunnen schoppen.'

'Te gek. Misschien was ik dan wel net zo geworden als jij.'

Hij stak zijn hand uit. Ik was onder de indruk van zijn schoenen. Een paar stevige zwarte stappers, die zo glimmend gepoetst waren dat je jezelf er in kon zien. Ik schudde zijn hand. Hij vroeg,

'Ga je weg vanwege Coffey?'

'Wat... wie?'

'Die kwiebus uit Cork, weet je dat niet meer?'

Ik liet zijn hand los en probeerde niet meer naar die schoenen te kijken. Ik zei,

'O ja, die grote dikke onbenul. Kon trouwens aardig hurling spelen.'

'Hij is een van mijn ondergeschikten, en als je hem mag geloven gaat die Ann Henderson bij hem in bed als een beest tekeer.'

Zijn woorden bleven even in de lucht hangen. Ik zag dat de chauffeur achter het stuur ongemakkelijk heen en weer schoof. Ik voelde de zweetdruppels op mijn voorhoofd. Ik voelde dat Clancy achter mijn rug zat te grijnzen. Even leek het of de wereld om me heen draaide. Ik dacht dat ik zou vallen. Dat kwam vast doordat ik plotseling aan het zonlicht werd blootgesteld. Het duurde een paar tellen voordat ik in staat was om me om te draaien. Ik boog me voorover in de auto en spuugde met al mijn kracht op die mooie dienstschoenen.

Ik liep binnen bij de Supermac op het plein. Ik had behoefte aan iets ontzettend kouds. Ik nam een grote cola met een heleboel ijs en ging bij het raam zitten. Mijn ogen brandden en ik kneep met mijn linkerhand in het balletje tot mijn vingers pijn deden. Ik nam een grote slok van de cola. Ik voelde de ijsblokjes tegen mijn tanden tikken. Ik had een rood waas voor mijn ogen. Na nog meer cola gedronken te hebben, voelde ik dat de suikerstoot begon te werken.

Dat hielp.

Het waas voor mijn ogen verdween en ik hield op met in het balletje te knijpen. Er kwam een man naar mijn tafeltje. Hij zei,

'Jack.'

Ik keek op. Hij kwam me bekend voor, maar ik kon hem zo gauw niet thuisbrengen. Hij zei,

'Ik ben Brendan Flood.'

'Aha... de man van God.'

'Mag ik gaan zitten?'

'Liever niet. Ik heb het helemaal gehad met de politie.'

'Ex-politie.'

'Maakt niet uit.'

'Ik moet je wat vertellen.'

'Gaat het weer over God?'

'Alles gaat over Hem.'

Hij ging zitten. Ik keek uit het raam. Ondanks de zonneschijn kon ik aan de horizon zwarte wolken zien. Flood zei,

'Er gaat een storm opsteken!'

'Citeer je nu de bijbel of de weerberichten?'

'Ik hoorde het net op de radio.'

Ik gaf geen antwoord, en verwachtte eerlijk gezegd dat hij een zedenpreek af ging steken en er dan weer vandoor zou gaan. Hoe lang zou dat gaan duren? Hij zei,

'Ik wilde je condoleren met het verlies van je vriend, Sean Grogan.'

'Dank je.'

'Er is informatie.'

'Wat?'

'Over de auto.'

'Vertel op.'

'Het is een gele auto.'

'Er zijn een heleboel gele auto's.'

'Volgens ooggetuigen was het een erg opvallende auto.'

'Opvallend?'

'De politie heeft getuigen ondervraagd, maar ze hebben er een over het hoofd gezien. Een jongen van elf jaar, die nummerborden verzamelt. Hij heeft het nummer niet precies op kunnen schrijven, maar hij heeft wel een sticker gezien.'

Hij wachtte even en ging toen verder,

'CLFD, stond erop.'

'Clifden!'

Hij ging staan, knikte naar de naderende storm en zei,

'Gods grote ongenoegen.'

Ik moest nog wat boodschappen doen. Ik liep bij Holland naar binnen en kocht een reuzendoos chocola. Met het leuke hondje op het deksel. Daarna naar de slijter. Ik moest even zoeken, maar vond daar uiteindelijk toch een kruik Hollandse jenever. Terug naar het hotel. Ik liet de chocola bij de receptie achter. Mevrouw Bailey vroeg,

'Zijn die voor Janet?'

'Jazeker.'

'Daar zal ze erg blij mee zijn.'

'Vanavond weer een slaapmutsje?'

'Prima, zo rond een uur of elf?'

'Uitstekend.'

NIMMO's PIER

Nimmo's Pier ligt op de westelijke oever van de Corrib. De pier loopt van de Claddagh-kade tot voorbij de Ringhanane-kade. Het ontwerp is van de hand van Alexander Nimmo. De pier werd in 1822 aangelegd. De plaatselijke bevolking was er toentertijd zeer tegen gekant. De pier werd als kade gebruikt totdat hij na de bouw van de nieuwe vrachthaven in 1840 overbodig werd. De Claddagh-pieren werden tussen 1843-1851 hersteld en vervolgens binnen een jaar met Nimmo's Pier verbonden.

Aan de oostkant van de pier heeft men ratten gezien ter grootte van een huiskat. Op dit moment hebben ze echter nog geen... namen.

Om een uur of zeven die avond brak er een wolkbreuk los. Ik lag op mijn bed te luisteren naar het geluid van de striemende slagregens die onafgebroken op de stad neer ranselden. Ik dacht nergens aan en stond mezelf ook niet toe om de eindeloze mogelijkheden te overdenken.

Om elf uur ging ik naar de bar beneden, waar mevrouw Bailey al zat te wachten. Ik had mijn kostuum aangetrokken. Zij had zich helemaal opgedoft en begroette me met,

'Allebei op ons paasbest. Wat leuk!'

Het moet een heerlijke avond zijn geweest, alleen kan ik me er niets meer van herinneren. Mijn hersens waren bevroren, en mevrouw Bailey praatte voor twee. Ik weet nog dat ze zei,

'Wilt u geen whiskey?'

'Op dit moment niet.'

Ze drong verder niet aan. Ik keek op de klok boven de bar. Om twee uur zei mevrouw Bailey,

'Ik ga maar eens naar bed.'

En ze nam afscheid met de woorden,

'Als u ooit vriendschap zoekt...'

Haar omhelzing ontroerde me een beetje, maar niet echt.

Ik ging naar mijn kamer en keek uit het raam. Het was nog harder gaan regenen. Ik pakte mijn weekendtas en deed daar de kruik jenever in. Daarna trok ik mijn politieoverjas aan. Vervolgens belde ik Sutton. Ik hoorde,

'Wie?'

'Sutton, Jack hier. Je zei dat je moeite had met slapen.'

‘Klopt.’

‘Ik moet met je praten.’

‘Oké... morgen... da’s goed.’

‘Nee, nu! Ik heb hier een kruik jenever.’

‘Dat maakt alles anders. Waar spreken we af?’

‘Op Nimmo’s Pier.’

‘Wat? Het stormt daar vreselijk.’

‘Da’s immers een prachtig gezicht. Jezus, jij bent toch de kunstschilder? Heb je daar geen oog voor?’

‘Ja... een flinke borrel en een flinke storm. Daar ben ik gek op.’

‘Tot straks dan maar.’

Geen levende ziel op straat te bekennen. Toen ik bij Claddagh kwam, werd ik zowat van de kade weggeblazen. Ik zag dat de zwanen beschutting hadden gezocht in de luwte van de boten.

Toen ik bij de pier was, leunde ik tegen de muur. Ik keek naar het zwarte water. Het zag er prachtig uit. Aan de overkant van het voetbalveld zag ik de koplampen van een afslaande auto, die vervolgens richting pier kwam rijden. Ik liep de weg op en ging in het schijnsel van de koplampen staan. Ik zwaaide. De auto stopte. De motor werd afgezet en Sutton deed het portier open. Hij droeg alleen maar een T-shirt en een spijkerbroek. Hij riep boven het lawaai van de storm uit,

'Hier ben ik gek op.'

Hij kwam amper opgetornd tegen de wind. Toen hij vlak bij me stond, zei hij,

'Halve gare idioot dat je bent, wat een prima idee van je! Waar is de drank?'

Ik ritste de tas open en gaf hem de kruik. Hij zei,

'Kijk eens aan... jenever.'

Hij nam een grote slok. Ik vroeg,

'Weet je nog dat we ooit een keer in Zuid-Armagh naar een dansavond zijn geweest?'

Hij liet de kruik zakken en zei: 'Ja...'

'Er reed een auto achter ons aan en toen vroeg ik van welke kant die lui waren.'

'Daar staat me nog iets van bij, ja.'

'En toen zei jij van de verkeerde, en vroeg ik welke kant dat was.'

Hij knikte. Ik ging verder,

'Jij zei: "Dat zijn de lui die je om vier uur 's ochtends achternazitten".'

Hij stiet een dronken lach uit. Ik zei,

'Het is bijna vier uur in de ochtend, en jij staat aan de verkeerde kant.'

'Wat?'

'Jij hebt Sean vermoord. Iemand heeft een gele auto met een Clifden-sticker gezien.'

Hij zette de kruik neer, dacht even na en zei,

'Ik heb het voor ons gedaan.'

'Voor óns?'

Hij praatte nu heel snel.

'Op een avond, heel laat... bij Grogan. Ik was straalbezopen, en probeerde hem op de kast te jagen. Ik vertelde hem dat we Ford vermoord hadden.'

'En denk jij dat Sean ons verraden zou hebben?'

'Op dat moment niet... maar hij had de pest aan me. Hij had mijn schilderij van de muur gehaald. Vroeg of laat zou hij de politie gebeld hebben.'

Ik zei,

'Sutton.'

En gaf hem een trap in zijn kruis. Ik pakte hem bij zijn T-shirt en sleepte hem naar de rand van de pier. Hij schreeuwde,

'Jezus... Jack... ik kan niet zwemmen.'

Ik wachtte even, en zei, terwijl ik me in de vliegende storm staande probeerde te houden,

'Weet ik.'

En duwde hem over de rand. Ik raapte de stenen kruik op en rook eraan. De geur drong door tot in mijn tenen. Ik haalde de kruik naar achteren en keilde hem zo hard als ik kon weg.

Het waaide zo hard dat ik de plons niet hoorde.

Terwijl ik mijn jas tot bovenaan dichtknoopte tegen de wind, dacht ik weer aan die keer in dat café in Newry. Sutton had *De Hemelsche Jager* van me afgepakt en gezegd,

'Francis Thompson is brullend en krijsend doodgegaan. Alcoholisten gaan allemaal zo dood.'

Maar door het bulderende lawaai van de storm kon ik dat niet controleren.

NASLAGWERKEN

Thomas Lynch, *Ondergronds*; vertaald door Auke Leistra. Oorspronkelijke titel: *The Undertaking*

Walter Mosley, *De Witte Vlinder*; vertaald door Dick Lievaart. Oorspronkelijke titel: *White Butterfly*

Elmore Leonard, *Cool*; vertaald door Theo Horsten. Oorspronkelijke titel: *Be Cool*

Antony Loyd, *Mijn Voorbije Oorlog, Ik Mis Hem Zo*; vertaald door Ton Heuvelmans. Oorspronkelijke titel: *My War Gone By, I Miss It So*

Francis Thompson, *De Hemelsche Jager*; vertaald door G. Voskuilen. Oorspronkelijke titel: *The Hound of Heaven*

Gary Zukav, *De Zetel van de Ziel*; vertaald door Prema van Harte. Oorspronkelijke titel: *The Seat of the Soul*

Don Miguel Ruiz, *De Vier Inzichten*; vertaald door Gerdie Brongers. Oorspronkelijke titel: *The Four Agreements*

Ed McBain, *De Dood Op Schoot*; vertaald door Leonie Vierdag. Oorspronkelijke titel: *Killer's Wedge*

T. Jefferson Parker, *De Vrouwen van Ortega Highway*; vertaald door Ruud van de Plassche. Oorspronkelijke titel: *The Blue Hour*

Thomas Merton, *Louteringsberg*; vertaald door André Noordbeek. Oorspronkelijke titel: *The Seven Storey Mountain*